KB196586

5년 사귄 남자친구와 헤어지고 틴더를 시작했다

5년 사귄 남자친구와 헤어지고 틴더를 시작했다

문태리 지음

txt.kcal

목 차

프롤로그

나는 옷매무새를 정리하며 상수역 근처의 어느 카페에 들어섰다. 날이 따뜻했지만, 손이 찬 느낌이 들어 따뜻한 커피를 주문했고, 진동벨을 받아서 아주 천천히 2층 계단을 올라갔다. 계단 옆자리에 Z가 앉아 있었다. 나는 그를 발견하고 웃어야 할지 슬퍼해야 할지를 몰라 몇 초간 어색한 표정을 지었지만, 이내 우리는 약속이라도 한 듯 동시에 웃음이 터졌다. 오랜만에 보는 헤어진 연인에 대한 감정을 어떻게 표현하면 좋을까.

"잘 지냈어?"라는 뻔한, 그러나 피식피식 나오는 미소가 담긴 어색한 대화. 헤어져 있던 3년간 서로 달라진 건 없는지 살피는 표정. 처음에 무슨 대화를 했는지는 잘 기억이 안 나지만 그저 그런 상투적인 안부 인사를 주고받던 중 내 진동벨이 울려서 다시 도망치듯 1층 카운터로 내려간 건 기억이 난다. 남몰래 숨을 길게 쉬며 커피를 받아 2층으로 올라갔고 그제야 정신이 돌아오는 기분이었던 것도.

"경주는 왜 다녀온 거야?"

Z가 물었다.

"벚꽃도 보고 혼자 여행도 할 겸."

Z는 "맞아, 너 원래 혼자 여행 잘 다녔지."라고 아는 체를 했다. 나와 Z의 대화 속에는 서로에 대한 정보가 들어 있어서 종종 가슴께가 저렸다.

일주일 전, 나는 훌쩍 떠난 경주 여행에서 Z에게 전화했다. 헤어진 이후로 3년간 걸지 못했던 전화였다. 그는 전화 줘서 고맙다며 조금 목멘 소리를 냈지만 나는 울지 않았다. 그는 통화 말미에 서울 올라오면 커피나 한잔하겠느냐고 물었다. 나는 그를 만나도 될지 잠시 고민하다가 알겠다고 했다. 그리고 그 통화 후 일주일간, 만나기로 한 날이 될 때까지 그에 대해 오래 생각했다.

Z와 헤어지기 전, 그의 형이 결혼을 준비 중이었다. 내가 형의 안부를 묻자 그는 형이 어느새 결혼도 하고 아이도 생겼다고 알려 주었다. 아이가 벌써 돌이라며. 또 그는 나와 헤어지기 전 취직을 앞두고 있었는데, 새 회사는 잘 다니고 있냐는 나의 말에 그는 그렇다고 대답했다. 그는 '새 회사'라는 말에 작게 웃었고, 어느새 다닌 지 3년째라는 말을 덧붙였다. 나는 내가 새로운 취미로 클라이밍을 하고 있으며 다른 일을 하기 위해 공부 중이라는 말을 전했다. 그는 잠시 동안 말이 없었다. 방금의 대화는 헤어져

있던 3년을 설명하기 위한 짧은 근황 이야기였지만 내가 말하기 전까진 Z가 전혀 모르던 나의 일상이었다. 밖은 어느새 사위가 어두워져 있었고, 우리는 이대로 헤어지기에는 아직 할 말이 많았으므로 같이 저녁을 먹으러 나왔다.

당인리 길. 내가 지금 다니고 있는 회사 근처였다. Z와 이곳을 걷고 있는 게 이상했다. 내가 Z와 헤어질 때쯤 나는 이직해서 새 회사에 적응하고 있었다. 그때는 Z가 취직을 준비하느라 한 번도 이 동네에 오지 않았다. 나는 그게 내심 서운했었다. 한 번쯤 내가 퇴근하는 시간에 맞춰 나를 보러 와줬으면 했는데. 결국 헤어진 지 3년이 지나고서야 퇴근 시간에 온 Z를 만나게 된 셈이었다. 나는 그런 생각을 하느라 말이 없었고 Z는 나와 걸으며 또 다른 뭔가를 생각하는 듯했다. 근처에 레스토랑이 있어서 들어갔고 둘 다 술은 시키지 않았다. 우리는 파스타를 주문했다. 그와 처음 만난 날 먹은 음식도 파스타였는데. 생각에 잠겨 있는 나에게 Z가 파스타의 맛이 괜찮은지 물었다. 나는 "응, 맛있어."라고 짧게 대답했다. 옛날 같았으면 '이것도 먹어 봐.'라며 나눠 먹었겠지만.

아무튼 나는 Z를 만나서 반가웠다. 그는 나에 대해 모르는 게 없는 가장 가까운 친구였으니까. 떨어져 있던 3년의 시간이 무색하게 Z와의 대화는 원래 그랬던 것처럼 금방 편안해졌다. 그렇게 마치 어제도 만났던 친구에게 하듯 편하게 내 근황을 이야기하다가, 갑자기 이 모든 게 새삼스러워져서 다시 입을 다물기를 반복했다. 우리는 지금 다니는 회사는 어떤지 따위의 가벼운 질문들 사이사이에 서로의 감정을 묻는 질문을 지나가듯 던졌다. 헤어지고 나서는 잘 지냈는지, 얼마나 오랫동안 나를 떠올렸는지, 다른 연애는 어땠는지 등에 대해 최대한 아무렇지 않아 보이게, 서로에게 부담이 되지 않게. 그러나 그 질문은 묵직한 펀치처럼 서로에게 날아왔다. Z는 나와 헤어지고 몇 명의 사람들을 만났다고 했다. 그들과 만났지만 결국 그 연애에서 기준이 되는 사람이 나였기 때문에, 연애 도중에 가끔씩(또는 자주) 나를 떠올리게 되었다고 했다. 나는 그 말에 깜짝 놀랐고 가슴이 아팠다. 나도 그랬기 때문이다.

우리는 서로에게 많은 질문을 했고, Z가 나와 헤어지고 그 시간을 정면 돌파하는 대신 우리의 이별을 얼마나 요리조리 피해왔는지 알게 되었다. 원래 회피형인 사람이기 때문에 예상했던 일이었다. 그래서 사실 나는 헤어진 후 그를 힘들게 하지 않는 법도 알고 있었다. 그가 어려움에 닥치면 으레 겪곤 하는 회피의 시간을 보내게 내버려 둔 후, 비로소 자신의 외로움을 마주하고 극복할 수 있도록 그를 최대한 건드리지 않는 것이었다. 나로서는 그가 이별을 완전히 인정할 수 있도록 3년간 그가 궁금하고 보고 싶어도 꾹 참고 그를 위해 기다려 준 셈이었다. 그러나 나는 3년 만의 대화에서 그가 여전히 나와의 이별을 한구석에 구겨 놓은 채 해결하지 못하고 있다는 사실을 알아

버렸다. 그리고 Z가 앞으로도 쭉 내 생각을 할 거라는 사실도. 나는 마음이 아팠다. Z가 이렇게나 오래도록 나와의 이별을 회피할 거라고는 예상하지 못했다. 그는 밥을 먹으며 중간중간 나에게 뭔가를 확인하고 싶어 하는 눈빛을 보냈지만 나는 모른 척해야만 했다. 나는 3년간 차근차근 Z를 잊어가는 중이었고 그 과정의 마지막이 이 자리였다. 나는 이제 Z를 도울 길이 없었기 때문에 자리에서 일어나자고 말했다. 밖은 완전히 어두워져 있었다.

상수역으로 가는 골목길. 우리의 대화는 점점 잦아들었다. 역이 가까워지고 있었다. Z는 아마 나와 같은 생각을 했을 것이다. 이 역에서 인사하고 나면 다시는 못 볼 수도 있다는 생각. 역에 도착할 때쯤 Z는 거의 울 것 같은 표정으로 나를 바라보았고 나는 내가 어떤 얼굴이었는지 잘 모르겠다. 다시는 못 볼 사람을 보는 표정이었겠지. 짧은 인사였지만 아주 길게 느껴지는 시간이었고, 나는 그렇게 Z와 다시 헤어졌다.

집으로 돌아온 나는 지난 3년간 내가 어떻게 지내왔는지를 떠올렸다. 나는 Z와 헤어진 후 옆구리가 터진 베개솜을 다시 베갯잇에 욱여넣듯 내 감정을 정리하려 애를 썼다. 처음엔 그런 나의 노력을 비웃기라도 하듯 슬픔이나 후회, 자조가 폭발하곤 했다. 나는 어떻게든 이 감정을 다시 추스르기 위해 나만의 방법으로 조금씩 바느질을 했다. Z가 3년이라는 시간 동안 아무것도 못하고 내버려 두는 사이, 나는 조금씩 그를 정리하고 있었다. 그리고 오늘, 그와 만나고 돌아오는 길에서 나는 드디어 마지막 바느질을 마치는 듯한 기분이 들었다.

Z에게 말하지 않은 만남이 있다. 그와 헤어진 후 나도 다양한 사람을 만났고, 나 또한 Z처럼 그와의 연애를 기준 삼아 여러 번의 연애를 했다. 그것들이 바늘 한 땀 한 땀이 되어서 터진 내 감정을 천천히 조금씩 꿰매 주었다. 내가 만났던 남자들에 대한 기억은 마치 데이터베이스처럼 내 머릿속에 차곡히 쌓였다. 그들과 만났던 시간을 모두 다 합쳐도 Z를 만났던 5년에 비하면 짧은 시간이지만, 나는 그들과의 만남을 통해 다양한 연애 스타일을 경험할 수 있었다. 이 모든 경험은 Z를 정리할 수 있도록 도와주었던 동시에 즐거웠고, 결론적으로는 나 자신을 다시 돌아볼 수 있게 했다.

이제 Z와 헤어졌던 3년 전으로 돌아가 그때의 이야기를 해 보려 한다.

틴더를 시작했다

겨울. 나는 5년간의 연애를 끝내는 바람에 순식간에 망망대해로 떨어졌다. 감정적으로나 육체적으로 언제든 의지하던 존재, 다사다난했던 내 20대의 대부분을 함께한 존재인 Z를 내 손으로 보내는 건 생각보다 좀 더 섬이 되어 버리는 일이었다. 나는 아주 너른 바다에 피어나 버린 섬이 된 기분과 동시에 아주 두껍고 좁은 네 귀퉁이가 있는 벽 속에 갇힌 것 같은 기분을 느꼈다.

나는 이런 이별에 익숙하지 않았다. 5년은 너무 긴 시간이었고 주말마다 함께했던, 그보다도 매일의 일상을 공유하던 사람과 하루아침에 관계를 끊는다는 게 이상했다. 어떻게 그의 존재가 갑자기 내 곁에서 사라진단 말이지? 헤어지기 전 수없이 상상하고 다짐했던 시간이었음에도 불구하고, 습관처럼 안부를 묻고 일상을 얘기하던 사람이 없어진다는 건 정말이지 견디기 힘든 것이었다. 내가 눈을 뜨는 침대는 얼마 전 주말에 그와 함께 누워있던 곳이었고, 내가 출근하는 길은 그와 만나 카페를 갈 때 종종 걷던 길이었다. 지금 지나치는 이 지하철역은 우리가 주말에 만나는 중간 지점이었고, 오늘 입은 니트는 그가 좋아하는 옷이었다. 내가 상상하고 마음먹었던 것보다도 더 큰일이었다. 어쩌지? 이 상황에 능숙하게 대처할 만큼 그에 대한 내 마음이 완전히 정리된 게 아니었다는 사실에 나는 크게 당황했다.

게다가 나는 오락가락했다. 어느 날은 지하철에서 눈물이 터지는 바람에 중간에 급히 내려야 했는데 또 어느 날은 친구들에게 내가 그와 헤어져야만 했던 이유에 대해 비실비실 웃으며 얘기했다. 심하게 울거나 심하게 웃겨 하면서, 나는 그 이별을 받아들이지 못하고 있었다. 나는 때때로 술에 취해 몸을 동그랗게 말고 울었으며 나의 동거인은 이런 내 모습을 보고 어쩔 줄을 몰라 했다. 한 달이 지나자 말로 표현하기 힘든 공허함이 나를 덮쳤다.

집에서 동거인과 함께 술을 꽤 많이 마신 어느 날 밤이었다. 나는 Z에게 전화하고 싶은 마음을 꾹꾹 누르며 방으로 들어왔다. Z를 다시 만나고 싶은 걸까? 아니, 그건 아니었다. 그럼 나는 뭘 바라고 있는 거지? 도대체 알 수 없었다. 그에게 전화하고 싶으면서도 동시에 만나고 싶지는 않은 내 마음에 대해 스스로도 납득이 되지 않았다. 나는 이런 내 정신을 다른 곳으로 돌리고 싶었고 이 어쩔 줄 모르겠는 기분을 무엇으로든 대체하고 싶었다. 그때는 연말이었고 이제 막 29살이 될 참이었다. 나는 5년간의 연애로 인한 속박에서 벗어나 해방감을 누리고 싶었고 자유를 만끽함으로써 어떻게든 이 에너지를 소모하고 싶어졌다.

결심했다. 이 슬픔을 한없이 가벼운 곳에서 해소하리라. 나를 즐겁게 해 줄 무언가가 필요했다. 나는 데이트 앱을 한 번 시작해 보기로 했다.

앱은 종류가 꽤나 다양했다. 개중에는 학벌과 직업을 인증한 후에야 가입할 수 있는 앱이나, 고상한 가치관을 공유하며 서로를 탐색할 수 있는 앱도 있었고 외모에 점수를 매겨 상대를 평가할 수 있는 앱도 있었다. 아니, 나는 그보다 더 세속적이고 직관적이고 가벼운 것이 필요했다. 눈물을 한 바가지 쏟아낸 그날 밤, 나는 틴더를 다운받았다.

틴더 사용법

쉬운 앱이었다. 나이와 소속을 입력하고 나의 관심사를 선택할 수 있다. 최근에는 '연락처 차단하기'라는 기능도 생겼다. 이 기능은 내 연락처 목록 중에서 틴더에서 보고 싶지 않거나 내 프로필을 보이고 싶지 않은 사람을 고르면 자동으로 차단해 주는 기능이다. 나는 간단하게 프로필을 작성하기 위해 등록할 사진을 골랐다. 실제로 얼굴을 보게 될 사람이라는 가정 하에 너무 잘 나온 사진은 곤란했고 적당히 잘 나온 사진을 골라야 했다. 몇십 분 만에 나는 나의 자랑인 목과 어깨가 잘 나온 사진, 그러면서도 동시에 활달해 보이는 사진을 골라 등록했으며 본격적으로 틴더를 시작했다.

정말 세속적이고 새로운 것들이 내 앞으로 쏟아졌다. 기본적으로는 설정해 둔 거리에 따라 무작위로 상대의 프로필이 뜬다. 마음에 들면 오른쪽으로 스와이프 해서 Like를 표시하고 마음에 들지 않으면 왼쪽으로 스와이프 해서 Pass 하는 방식이었다. 나는 반경 8km 내의 20-30대 남성을 볼 수 있도록 설정했다(틴더에서는 남자-남자, 여자-여자도 선택할 수 있다). 다양한 얼굴의 향연에 더불어

몸 자랑, 차 자랑, 학벌 자랑, 직업 자랑 등 스스로를 어필하기 위한 각종 수단이 프로필에 등장했다. 데이트 시장에서 자신을 잘 팔기 위해 가능한 한 많은 조건을 제시하는 것은 어찌 보면 당연한 풍경이다.

그때 내가 사람을 고르는 첫 번째 기준은 얼굴이었다. 어떤 얼굴이냐 하면 실연의 슬픔에 빠진 나를 위로해 줄 만한 아주 좋은 얼굴. 나는 하얀 사람을 좋아하는 편이기에 깨끗한 얼굴, 긴 눈의 선비님같이 생긴 남자들을 골랐다. 고르다 보니 자연스럽게 나의 사진 취향이 드러나게 되었는데, 스스로 찍은 셀카보다는 남이 찍어 준 자연스러운 사진이 더 좋았다. 그러다 보니 셀카를 찍은 남자들은 대부분 거르게 되었다. 그리고 필터 없이 기본 카메라로 찍은 사진이 좋았다. 피부 톤 정도는 보정할 수 있지만 눈이나 턱까지 보정한 사진은 너무 인위적이라 싫었다. 슬프게도 나의 이런 구체적인 취향을 반영한 남자들이 그닥 많지 않아 까다롭게 사진을 골라내야 했다. 나는 흙 속의 진주를 발견하는 마음으로 늦은 밤 시간까지 몇 명의 남자들에게 힘껏 오른쪽 스와이프를 날려 주었다.

틴더는 내가 Like를 한 상대도 나에게 Like를 해야 매칭이 되는 시스템이고 매칭이 되어야 대화가 가능하다. 나 혼자만 마음에 든다고 대화를 시작할 수 없는 구조다. 그러나 절대적으로 남성이 많은 데이트 앱인지라 내가 Like를 한 남자들과의 매칭이 어렵진 않았다. 이 사이버 세상은 마치 대규모 양식장처럼 아무리 스와이프를 해도 또 새로운 얼굴이 나타나는, 생각보다 광활한 곳이었다.

대부분 내 또래에다 나와 멀지 않은 곳에 있는 사람들이었다. 틴더를 시작한 후 가장 당황스러웠던 점은 갑자기 너무 많은 사람과 대화해야 한다는 점이었다. 매칭된 사람들과 동시다발적으로 메시지를 주고받으려니 신경써야 할 게 많았다. 일단 나는 직장인이기 때문에 출근 후에는 계속 메신저를 할 수 없었다. 틴더 알림이 뜨는 휴대폰을 회사 책상 위에 꺼내 놓고 싶지도 않았다. 메시지를 주고받는 시스템이므로 대화를 하려면 알림이 뜨도록 하거나 때마다 틴더 화면을 켜야 했다. 내가 틴더를 한다는 사실을 회사 사람들이 몰랐으면 했기 때문에 업무 시간에 메시지를 주고받는 것은 거의 불가능했고, 퇴근길이나 점심시간에 주로 주고받았다. 그러다가 몇 명의 남자들이 나와 틴더 말고 카카오톡으로 대화를 이어가길 원했는데 그 이유는 물론 나와 더 긴밀한 대화를 하고 싶어서일 수도 있지만 아마도 틴더 알림이 뜨는 게 불편하고 부담스러워서일 수도 있을 거다. 나 역시 그들의 요구에 기꺼이 응해 틴더에서 카카오톡으로 넘어가는 순서를 밟게 되었기 때문이다.

남자 A : 나의 첫 틴더남

지난 5년간 하지 않았던 종류의 대화들을 나누고 있자니 일단 흥미롭고 즐거웠다. 나는 한없이 가볍고 피상적인 대화를 원했지만, 내 기대와는 달리 대부분 대화의 시작은 사적인 질문을 하거나 호구 조사를 하는 식이었다.

'무슨 일 하세요?'
'마지막 연애가 언제예요?'

이런 식의 나에 대한 정보나 내면을 묻는 말에는 별로 대답하고 싶지 않았으므로 나는 그나마 거슬리는 건 묻지 않은 몇 명과 대화를 이어갔다. 그러나 동시에 여러 명의 남자와 대화를 하다 보니 점점 헷갈리기 시작했다. '내가 직업을 말했던가?', '상대가 나이를 말해 줬던가?'라는 등의. 시간이 지나자 결국은 가장 말이 잘 통하는 한 명과 연락을 지속하게 되었다. 사실 처음 보는 사람에게서 매력을 느끼는 게 쉬운 일은 아니다. 첫 만남이 다 그렇듯 틴더에서도 매칭된 사람들이 채팅으로 가장 먼저 하는 일은 서로의 공통점을 찾아내는 것이다. 둘 사이의 공통점은 대체로 만남의 동기가 되어 줄 유일한 친밀감이기 때문에 대부분은 좋아하는 영화, 음악, 여행 같은 좋아 보이는 문

화생활에 대해 치열하게 맞춰 간다.

'운동 좋아하세요?'

틴더에선 얼굴도 얼굴이지만 몸의 건강함(아름다움)이 서로에게 아주 중요한 매력 포인트가 된다. 적어도 그때 나에게는 중요했다.

남자 A와도 이와 같은 질문들이 오갔다. 그는 다행히 운동을 즐기는 남자였으며, 한 번도 섹스에 대한 이야기를 꺼내지 않았지만, 간접적으로 나에게 FWB(Friends with Benefit: 연애가 아닌 성관계만을 추구하는, 이른바 섹스 파트너)를 원하고 있음을 피력했다. 다음과 같은 대화들이었다.

'운동 좋아하세요?'
'틴더를 하는 이유는?'
'연애를 하고 싶다기보다는…….'
'놀고 싶어서.'

나는 금방 그가 원하는 것을 캐치했고 꽤 호기심이 넘치는 상태에서 그를 만나 보기로 했다. 눈이 길고 아래로 처진 남자였다. 혼자 살고 있어서 퇴근 후엔 늘 심심하다며 어서 만나자는 A를 보고 있자니 어쩐지 얼마 전 헤어진 Z와의 연애가 저절로 떠올랐다.

첫 번째 연애였기 때문에 Z와의 모든 것이 처음이었다. 그를 5년간 만나다 보니 어쩌면 평생 단 한 명하고만 섹스를 하다가 생을 마감할지도 모른다는 아쉬움이 있었다. 다행인지 불행인지 나는 Z와 헤어졌고 훨씬 더 열린 세계를 마주할 수 있었다. 그와 헤어진 후 다른 남자와의 섹스가 어떨지 궁금해진 것은 당연한 일이었고, 그 호기심으로 틴더를 시작했다고 해도 사실 과언은 아닐 것이다. A는 그런 나의 호기심을 충족시켜 주는 동시에 낯선 사람에 대한 두려움을 은근하게 뒤로 돌려 불식시켜 주는, 틴더에서 내가 첫 번째로 만나기에 딱 알맞은 사람이었을 것이다.

우리는 약속을 잡았다. 평일 퇴근 후였는데 어쩐지 주말에는 A를 만나고 싶지 않았기 때문이다. 회사원인 내가 누군가에게 주말 시간을 할애한다는 것은 꽤 의미 있는 일인 경우에만 허락되었고 주로 그 의미 있는 일은 데이트였다. 나에게 A와의 만남이 물론 흥미롭고 설레는 일이긴 했지만, 그땐 일종의 오기 같은 것도 마음 한구석에 자리 잡고 있었다.

'그들에게 어떤 의미를 얻거나 주지 않을 것이다.'

나는 틴더에서 만나는 이들에게 깊은 관계를 기대하지 않았다. 그들에게서 뭔가를 받기도, 주기도 싫었다. 그냥 슬픔에 빠진 나에게 좋은 놀이 상대가 되어 주길 바랄 뿐이었다. 그러나 내가 A를 만나기로 한 때는 연말이었고, 그때의 서울은 온통 노란 불빛들로 반짝거리는 낭만적인 도시였다. 나는 누구에게도 마음을 주지 않으리라 다짐했지만, 동시에 나를 괴롭히는 극심한 외로움과 쓸쓸함도 애써 외면하고 있었다. 아무튼 시간은 쏜살같이 지나갔고 A와 만나기로 한 날이 되었다. 우리는 서로의 직장 가운데쯤의 지점에서 만나기로 했고, 내가 먼저 지하철역에 도착해 A를 기다리게 되었다.

'저 도착했어요.'

지하에서 올라오는 머리 꼭대기를 발견하고 그의 실제 얼굴을 처음 보았다. 사진에서 본 얼굴 그대로이긴 했지만, 어딘가 조금 부족한 느낌이 들었다. 분명 눈, 코, 입은 같은데 말이지… 어깨는 생각보다 좁았고 키는 거짓말일 거라 생각했는데 진짜 180cm 정도 되어 보였다. 하지만 어쩐지 분위기가 좀 다르다고 해야 할까, 조금 덜 조화롭다고 해야 할까. 사진에 비하면 어딘가 모자라지만 분명 같은 사람이긴 해서 웃음이 나왔다. 분명 그도 내 실물을 보고 비슷한 느낌을 받았을 것이다. 어쩌겠는가. 이 정도는 예상했었다. 우리는 서로 어색하게 웃으며 왠지 위험하면서도 흥미로운 표정을 주고받았다. 실물과 어떻게 다르다는 둥, 보조개가 있다는 둥. 서로가 어깨를 간간히 부딪쳤지만 손은 잡지 않은 채 의식하며 걸었다. 우리는 간단하게 술을 한잔 기울이다가 금방 나왔다. 편의점에서

맥주와 간식거리, 콘돔을 샀고 모텔에 들어가 치킨을 시켰다.

"여동생 있어요. 친하냐고요? 아니."
"소주 두 병 정도."
"가장 자신 있는 곳? 코."
"5명 정도."

우리는 침대에 앉아 치킨을 먹으며 얼핏 평범해 보이지만 기이한 질문들을 했다. 서로에 대해 깊이 알고 싶어 하는 듯했지만, 사실 상대를 둘러싼 일상에 관해서는 전혀 알고 싶지 않아 하는 질문들이었다. 오로지 서로가 안전한지, 그러면서도 얼마나 흥미로운 사람인지만을 탐색하는 대화였다. 내가 어떤 일을 하는지, 어떤 삶을 살아왔는지는 중요하지 않았다.

잠자리는 꽤 만족스러웠다. 섹스가 끝나고 나니 나는 서둘러 집에 가고 싶다는 생각이 들었다. 갑자기 내 옆에서 TV를 보고 있는 A를 보고 있자니, '내가 어떻게 이 남자와 섹스를 했지?'라는 생각이 들었다. 그 느낌이 싫다기보다는 그저 생경했다. 나 자신이 놀라울 따름이었다. 나는 예상했던 것보다 더 새로운 걸 즐길 수 있는 사람이었다. A는 자고 가라고 했지만 나는 얼른 집에 가서 이 기분 그대로 잠들고 싶을 뿐이었다. A와 나는 그대로 택시를 타고 각자의 집으로 돌아갔다.

새벽에 집에 돌아와 내 바디 워시로 씻고 내 로션을 몸에 바르며 그제야 어딘가 안전하다는 느낌을 받았고, 곰곰이 생각해 보았다. 섹스하기 전 나는 무엇인가에 죄책감을 느끼고 있었다. 아마 Z 때문일 것이다. 사랑하는 사람과의 관계에서 지켜야 하는 규칙들이 헤어진 후에도 습관처럼 나를 보호하고 있었고 마치 엄마의 잔소리처럼 내 머리를 떠돌았다. 하지만 그게 보호와 책임이었던 시간은 이미 지나갔고 나는 일말의 죄책감이나 후회 같은 것을 느꼈던 쓸모없는 순간들을 모두 씻어 낼 필요가 있었다. 내가 긴 연애를 마치고 한없이 가벼운 만남을 하고 싶어진 이유는 바로 그 책임감에서 오는 반항심이었을 것이다. Z의 감각이 나를 둘러싸고 있는 한 나는 자유로울 수 없으니까.

나는 긴 연애 기간 서로를 책임지고 묶어두며 생겨났던 반사적인 죄책감에 사로잡혀있었으며 그날 새벽, 집에서 샤워하면서 그중 일부를 흘려보낼 수 있었다.

남자 A : 그 이후

내 머릿속에는 원래 틴더에 대한 특정한 이미지가 있었다. 가벼운 만남을 원하는 사람들의 앱. A를 만나기 전에도 그런 사람들을 많이 볼 수 있었다. 어떤 이는 프로필에 대놓고 FWB를 찾는다고 써놨고, 어떤 이들은 나와 매칭이 되자마자 FWB에 관심이 있느냐고 물었다. 나는 처음 하는 틴더에서 모르는 사람을 만나는 것에 약간의 두려움을 느꼈기 때문에 그런 식의 직접적인 프로필이나 질문에는 응하지 않았고, 결국 A같이 은근하고 적당해 보이는 사람을 찾아냈다.

나는 Z를 만나면서 가끔 다른 사람과의 잠자리가 궁금했지만, 그때까지 호기심은 호기심일 뿐이었고, Z를 사랑하는 마음과 두려움 때문에 내가 잘 모르는 이와 하룻밤을 보내는 날이 올 거라는 생각은 한 적이 없었다. 그러나 Z와 헤어지면서 나는 갑자기 찾아온 자유를 어떻게 활용해야 할지 혼란스러웠다. 그래서 가장 단순하게 이 자유를 만끽해 보기로 했고, 그 방법이 틴더였다. 그때의 나는 Z와 너무 긴 만남을 이어온 상태였으므로 또 다른 누군가와 연애를 하고 싶다는 생각도, 그럴 에너지도 없었다. 앱에서 만난 사람이라면 서로 만나고 헤어지는 것에 큰 미련이 없을 거로 생각했다.

A를 만난 후 Z에 대한 죄책감은 습관에서 찾아왔지만 동시에 해방감을 느끼기도 했다. 그전까지 나에게 이성과의 관계는 친구 아니면 연인이었다. 그러나 틴더로 A를 포함한 다양한 사람들을 만나 보니 세상에 정의할 수 없는 다양한 관계가 존재한다는 걸 새삼스럽게 느낄 수 있었다.

주변을 둘러봐도 그렇다. '사귀자'라는 말이 없어도 어떤 관계는 연애보다 강렬한 만남이 되기도 하고, '사귀자'는 말 이후로도 어떤 관계는 연애보다 못한 애매모호한 것이 되기도 한다. 우리는 우리의 성격에 따라, 혹은 상대의 성향에 따라 다양한 관계를 맺을 수 있다. '사귄다.' 또는 '사귀지 않는다.' 단 두 가지만으로 좋아하는 사람과의 관계를 정의할 수는 없다. 틴더를 시작하면서 가장 새로웠던 점이 관계에 대한 정의였다. 나는 틴더를 통해 이성과의 관계에 대해 좀 더 다양한 정의를 내릴 수 있게 되었다.

남자 B : 연애, 할까 말까?

남자 B는 특이한 프로필 사진을 가지고 있었다. 본인의 취미 생활인 음악에 관한 사진들이 빼곡했고 얼굴 사진은 단 하나였다. 사실 내가 기대하는 잘생긴 얼굴과는 거리가 먼 생김새였지만 큰 곰처럼 웃고 있는 얼굴이 어쩐지 귀엽다고 해야 할지 착해 보인다고 해야 할지. 알아보고 싶은 호기심이 생겨 대화를 시작했다.

그와도 역시 지하철역에서 만났는데 내 예상보다 훨씬 키가 큰 사람이었다. 우리는 내가 사는 동네의 어느 맛집이라는 식당을 향해 걷기 시작했다. 그날따라 그 맛집은 문을 닫았고 우리는 근처의 내가 아는 술집에 들어가서 안주를 몇 가지 시켰다. 틴더에서는 크게 두 가지 부류의 관계를 기대할 수 있는데 하나는 내가 A와 가진 것 같은 FWB, 또 하나는 연애다. 아무래도 남자 B는 A와는 달리 좀 더 연애를 기대하고 나와 대화를 이어가는 것 같았다. 아쉽지만 그때까지도 나는 연애에 전혀 관심이 없는 상태였다. 연인이 되어 서로가 실시간으로 뭘 하는지 알려 주는 대화는 지난 5년간 지겹게 해 왔던 것이었다. 나는 그저 아무 생각 없이 놀고 싶었고 때는 마침 크리스마스였다.

우리는 자리를 잡고 앉아서 다른 사람들은 듣지 못하도록 적당히 작은 소리로, 틴더를 왜 시작하게 되었는지, 몇 명이나 만나 보았는지 따위의 질문을 하며 서로를 탐색했다. 주문한 안주가 하나씩 나왔다. 친구와 종종 오던 술집이라 몇 번 먹어 본 안주였다. 소고기가 들어 있는 달달한 간장 향의 샐러드였고 내가 그 샐러드를 집으려고 수저를 들기도 전에 B가 당연하다는 듯 샐러드의 채소와 고기를 적절히 섞어 내 그릇에 가득 담아 주었다. 그 순간 나는 Z를 떠올렸고 조금 슬퍼졌다.

Z는 4년 전쯤엔 내 접시를 자기 쪽으로 가져가 뭔가를 가득 채워 주던 사람이었을 것이다. 내 접시는 늘 풍성했을 것이고 쉴 틈 없이 무엇이든 채워졌던 시간이 있었겠지. 그런데 이상하게 나는 그가 나의 접시를 채워 주던 장면이 떠오르지 않았다. 정말이지 하나라도 그가 내 접시를 채워 주던 순간을 떠올리고 싶었는데, 내 머릿속에 떠오르는 장면은 유일했다. 교외의 어느 칼국수 집에서 칼국수가 나올 즈음 내가 '나 물 마시고 싶어.'라고 했던 것, 그리고 그가 귀찮다는 듯 나를 흘겨보며 일어서서 물을 떠 왔던 것. 뭔가 잘못한 걸까 싶은 마음으로 그 물을 마셨던 것.

울컥하는 마음을 B가 주는 안주를 넙죽 받아먹으며 삼켰고 그때부터 쉴 새 없이 나를 챙기는 B의 손을 말없이 쳐다보았다.

"왜요?"

그는 의아하다는 듯 나를 보았고 나는 그냥 그 손을 보다가 그의 눈을 보다가 하며 신기하다는 듯 웃어 보일 수밖에.

두 번째 만남에서 고깃집을 갔을 때도 그는 내가 젓가락을 들 필요도 없이(정말로 그랬다) 숟가락에 고기와 반찬을 끊임없이 얹어 주었고 나는 아기 새처럼 그것을 받아먹었다. 한입에 하나씩, 무언가 부족했던 게 채워지는 느낌이었다. 내가 무언가에 허기를 느끼고 있음은 분명했지만, 고작 이런 것, 이런 사소한 친절이라니. 이렇게 의지하는 방식이라니. B가 나를 섬세하게 챙겨 주는 모습을 볼 때마다 내 허전했던 구멍을 스스로 들여다보는 기분이 들어 견디기가 힘들었다. 세 번째 데이트가 끝나고 나는 친한 친구에게 Z에 관한 메시지를 몇 개 날렸다.

'5년의 세월은 대체 뭐였을까?'

나는 더 이상 이전의 연애에 어떤 의미가 있었는지 떠올리기 어려운 상태가 되어 버렸다.

남자 B : 두 번째

나는 슬슬 어려워지기 시작했다. B와의 섹스는 순리처럼 흘러가 나를 즐겁게 해 주었지만, B가 원하는 바는 섹스보단 연애에 가까운 것이 분명했다. 그는 종종 나에게 '우리가 무슨 사이냐'는 질문을 던졌고 나는 그 난처한 질문에 매번 시간이 필요하다는 애매모호한 대답으로 상황을 무마하려 했다.

반은 맞고 반은 틀린 말이었다. 두 번째 틴더남은 내가 예상하지 못한 케이스였다. 나는 누군가 나와 연애를 하고 싶어 할 거라는 생각은 전혀 하지 못한 채 틴더를 시작해 버렸고 그는 아무래도 나의 이런 마음을 눈치채지 못한 것 같았다. 나는 과연 틴더에서 만난 남자와 연애를 해도 괜찮을지 스스로 계속 물어보며 하루하루를 애매하게 넘기고 있었다.

분명 그는 괜찮은 남자였다. 그는 내가 아프면 죽을 만들어서 집에 가져다주고 우리 집에 있는 몇 가지 시들어 가는 재료들로 리조또도 만들어 줄 수 있는 부지런한 남자였다. 그는 내가 필름카메라를 쓴다는 걸 알고는 여행에서 샀던 일회용 카메라를 나에게 주거나 내가 읽을 책을 사 오곤 했다. 내가 좋아하는 영화를 금세 보고 와서 나와 그 이야기를 하고 싶어 하는 다정한 남자였다. 그럴 때마다 나는 Z에게 해 주었던 많은 요리들을 자연스레 떠올렸으며 내가 줬던 선물들과 내가 받은 선물들도 떠올렸다. Z는 무심하리만치 나의 취향을 모르는 남자였고 센스가 없는 사람이었기 때문에 자연스럽게 B의 선물과 비교가 되었다. Z는 가끔 알 수 없이 비싼 볼펜이나 유치한 필통, 쓸모 있지만 낭만은 없는 도구 같은 걸 사 오는 남자였고, B는 만난 지 몇 주 만에 내 취향을 알아내서 딱 맞는 선물을 해 주는 사람이었다. Z와의 데이트에서 늘 취향을 물어보는 쪽은 나였다. 종종 나는 내 취향이 아닌 그가 좋아하는 팀의 야구 경기, 내가 싫어하는 종류의 영화를 보러 다녔다. 나는 내 취향에 관해 설명하기보다는 상대의 취향에 내 일상을 맞추며 긴 연애를 해 왔다. B는 분명 Z에 비하자면 연애하기 딱 좋은 그런 사람이었다.

B를 만난 지 두 달 정도 되어 가는 어느 날, 그가 이직 준비 중에 나의 회사와 가까운 위치에 직장을 찾게 되었다며 기뻐했다. 나는 깜짝 놀라 그 회사로 이직할 셈이냐고 물었고, 그는 나와 가까이에서 일을 하면 좋은 일이 아니냐고 되려 물었다. 나는 크게 당황했다. 내가 기대한 만남은 이런 게 아니었다. 나는 그에게 어떤 영향도 끼치고 싶지 않았고 영향을 받고 싶은 마음은 더더욱 없었다. 그러나 동시에 그가 나에게 종속된다는 느낌을 받을 때마다

일종의 희열이나 우월감 같은 걸 느끼면서 그 관계를 멈추지 못하고 있었다. 나는 B가 주는 마음에 취해 어느새 연애의 형태에 98% 가까운 만남을 지속하고 있었다. 남은 2% 중 1%는 앱이라는 방식으로 연애하고 싶지 않은 나의 알량한 마음이었으며 나머지 1%는 Z와의 연애에서 받지 못했던 것을 받고 싶어 하는 보상심리였다. 이제는 내가 이 관계의 정의를 내려야 할 때가 왔다는 걸 깨달았다.

결국 며칠 후 나는 그에게 당분간 연애할 여유가 없다는 말로 그를 떠나보냈고 그는 크게 실망해서 나에게 화를 냈다. B를 실망시킨 그날, 나는 틴더에 쌓여 있는 대화 목록을 보며 생각했다. 지난 5년의 연애는 너무 길었고 나는 빨리 다른 사람을 만나 보고 싶다는 욕구에 휩싸여 있었다. 그중 가장 간편한 방법이 앱이었기 때문에 틴더를 시작했는데, 거기서 오는 만족감은 자꾸만 Z와의 연애에 빗대어 찾아왔다. 그렇다면 나는 혹시 Z에 대한 반감으로 남자들을 만나고 있는 게 아닐까?

남자 B : 그 이후

'생각보다 진심이잖아?'

B를 만나면서 든 생각이다. 틴더에는 A와 같은 남자, 즉 하룻밤을 보내고 싶어 하는 사람들만 있을 거로 생각하고 있었는데, 나는 B 이후로도 몇 명의 남자들을 만나면서 틴더에 있는 사람들 중 생각보다 연애(심지어 결혼도 있다)를 원하는 사람들이 많다는 사실을 알게 되었다. 그들이 틴더로 왜 연애 상대를 찾는지 여전히 그 이유는 알 수 없었지만, 어느새 나도 틴더에서 굳이 하룻밤을 함께 할 상대로만 사람을 바라볼 필요가 없다는 생각이 들기 시작했다.

틴더 유저 중 연애를 원하는 사람들은 프로필에 특징이 있다. 대부분은 자신을 열심히 설명하려고 한다. 그런 사람들에게 틴더는 소개팅과 별다를 게 없다. 어떤 이는 자신의 SNS 계정 아이디를 적어 놓아서 원한다면 그의 일상을 엿볼 수도 있다. 만약 긴가민가 싶을 때는 그를 만나 보면 알 수 있다. 직접 만나서 이야기하는 순간 느낌이 온다. 이 사람이 나와 단지 하룻밤만을 보내고 싶어 하는지, 아

니면 나를 더 알고 싶어 하는지.

B가 나를 오래 만나면서 알아가고 싶어 한다는 걸 눈치챈 후 잠시 당황했지만, 사실 그게 싫진 않았다. 누군가가 나에 대해 조심스럽게 알아가려고 한다는 느낌을 받으면 마음이 몽글몽글해진다. B에 관해서는 내가 전혀 예상치 못한 관계였기 때문에 그가 기대하는 방향으로 우리가 발전하지는 못했지만, 그를 만난 이후 나는 틴더라는 곳에 생각보다 다양한 사람들, 다양한 관계에 대한 기대가 담겨 있다는 걸 알 수 있었다. 그 후 나는 좀 더 열린 마음으로 틴더에 대해 생각하게 되었다.

B는 나에게 마치 유사 연애, 연애 놀이를 하는 것 같은 느낌을 주었다. 아침이면 연락이 오고, 저녁이면 나의 일상을 궁금해하는 사람이 생겼다. 회사에 있을 때 그에게서 연락이 오면 나는 살짝 번지는 웃음을 애써 동료들 앞에서 감추기도 했다. 마치 애인이 생긴 사람처럼. 나는 연애에 확신이 없는 상태였기 때문에 그가 원하는 대로 연락을 꼬박꼬박하지는 않았지만, 매일 누군가가 나를 궁금해한다는 사실에 들뜨기도 했다. 그 때문일까? B를 만난 이후로 나는 다시 연애하고 싶다는 생각이 들었다.

남자 C : 새삼스러운 연애

이 반경 8km 내의 활발한 온라인 활동이 Z에 대한 반감으로 시작되었을지언정 틴더의 세계는 여전히 무한하고 즐거웠다. 그때쯤 나는 틴더로 몇 명의 남자들을 더 만났으며 그들은 마치 바람처럼 빠르게 나를 스쳐 지나갔다. 어떤 남자는 나에게는 무리인 섹스 취향을 요구해서 싱겁게 각자 집으로 돌아갔고, 어떤 남자는 섹스 후 너무 성실하게 나에게 연락을 보내와서 나에게 차단당했다. 어떤 남자는 사진과 달라도 너무 달랐으며 어떤 남자는 키를 속이고 나왔다.

내가 그들의 이름을 잊어가는 사이, 어느새 계절이 바뀌었으며 여름이 다가오고 있었다. 나는 본래 여름을 사랑하기 때문에 도저히 연애 없이 여름을 보내는 게 상상이 되질 않았다. 그때쯤 틴더로 남자 C를 만나게 되었다. 몇몇 남자들과의 만남 이후로 나는 점점 틴더도 별로 다르지 않다는 생각이 들었는데, 온라인으로 만난다 한들 그들도 내 주변에 있는 남자들과 비슷했기 때문이다. 이 정도면 틴더에서도 연애할 만한 상대를 고를 수 있을 거라는 믿음이 생기고 있었다.

남자 C는 내가 좋아하는 하얀 얼굴에 약간 벌어진 앞니를 가지고 있었다. 조금 바보 같은 그의 허허실실한 웃음이 좋았고 넓은 어깨도 마음에 들었다. 나와 C는 종종 술에 취해 헤어졌고 주말이면 또다시 만났다. 순하고 착한 사람이었으며 나에게 특별히 바라는 것도, 그렇다고 주는 것도 없는 무난한 사람이었다. 이상하게 그의 특별할 것 없는 점이 나를 안심시켰고 어딘가 익숙하고 편안했다. '어쩌다 알게 됐어'라고 하기에 딱 알맞은, 안전한 느낌을 주는 그런 사람. 우리는 섹스 없이 세 번을 더 만났고 다섯 번째 만남에서 결국 연애를 시작했다. Z와 헤어진 지 어느새 7개월이 지나있었고 이 정도면 다른 연애를 시작해 보고 싶다는 생각이 들던 참이었다. 우리는 농담처럼 누가 어떻게 만났냐고 물어보면 봉사활동에서 만났다고 이야기하기로 입을 맞췄으며 같이 틴더를 탈퇴했다. 틴더를 탈퇴할 때는 사유를 선택할 수 있는 객관식 문항이 있는데 그중에는 '틴더로 인연을 찾았어요.'가 있다. 우리는 인연을 찾았다는 사유를 클릭하며 웃었다. 연애를 시작했으니 서로의 믿음을 위해 앱에서 탈퇴한 것이다.

오랜만에 시작하는 새 연애는 모든 것이 새로웠다. 상대는 당연하게 나의 일상을 물어볼 수 있었으며 저녁 어느 시간은 꼭 통화를 했다. 내가 어딜 가는지, 장소를 어디로 옮기는지 설명하는 과정이 새삼스러웠다. 연애를 쉰 지 불과 7개월 만에 나는 마치 원래 혼자가 익숙했던 사람처럼 누군가와 함께하는 것에 적응하기 위해 부단히 애를 써야만 했다. 그럼에도 새 연애에 대한 설렘은 나를 즐겁게 했고 무엇보다 이제 막 사랑을 시작하려는 나의 모습에 더욱 설레었다. 새로 시작하는 연인들이 그렇듯 나 역시 성실하게 연인으로서의 할 일을 수행했다.

새삼스럽다는 말이 새삼스러울 정도로 나는 이 연애의 시작이 무척이나 새삼스러웠다. 연애를 끝낸 지는 고작 7개월이었지만 연애를 시작한 지는 무려 6년이 지나 있었다. 나는 C와 만나기 시작하면서 Z와의 연애 대서사시에 (5년이면 대서사시 맞다) 기승전결이 존재했었다는 사실을 깨달았다. 자꾸만 C와 하는 대화와 데이트 중에 '나 6년 전엔 어떻게 했더라?' 하며 아스라이 저편으로 사라지려는 낡은 기억을 끄집어내야 했다. 나는 연애의 기승전결에서 이제 막 기 부분을 시작하려는 참이었다. 연애 초반이라면 으레 해야 하는 것들을 해내기 위해 애써야 했다.

매주 데이트를 어디로 갈지 부지런히 알아봤으며 외박이 가능한지 불가능한지도 조심스레 살펴야 했다. 잠은 호텔에서 아님 모텔에서? 아니면 아예 여행을 가야 할까? 데이트에 돈을 얼마나 쓰는 편이지? 선물엔 얼마를 써야 하지? 서로 잘 알지 못하는 상태에서 상대의 성향을 파악하기 위해서는 종종 피할 수 없는 선택의 시간들이 있었다. 둘만의 패턴이라고 할 만한 게 생기기 전인 이 초반의 연애는 생각보다 귀찮은 점이 많았다. 인정하고 싶지 않았지만 나는 Z와의 연애에서 느꼈던 지겨움이 얼마나 안정적이고 편리한 것이었는지를 생각하지 않을 수 없었다.

Z와의 연애에는 규칙 같은 게 형성되어 있었다. 매주 토요일은 서로를 위해 비워 놓았기 때문에 특별히 토요일에 다른 일정이 생긴다면 미리 양해를 구해야 했고 데이트가 편한 몇 장소들이 있었으므로 오랜 고민 대신 선택지들 중 하나를 골라 데이트를 했다. 나는 이런 정형화된 데이트에 지루함을 느끼고 있었으면서도 그로부터 오는 간편함을 알기 때문에 굳이 새로운 걸 시도하지는 않았다.

아니, 사실은 안전하고 규칙적인 걸 좋아하는 Z의 습성에 맞춰 데이트도 정형화되었다고 해야 맞을 것이다. 나는 연애 초반, 몇 번쯤은 그에게 평일에 갑자기 만나자고 하거나, 오늘은 바다를 보러 가자는 등의 조금 예상 밖의 (그러나 가끔이라면 충분히 해낼 수 있는) 데이트를 요구해 보았고 그때마다 Z는 부담을 느끼는 듯했다. Z는 고지식하고 원칙적인 데가 있는 사람이었고 새로운 것을 시도하는 것에 많은 준비가 필요한 사람이었다. 내가 그와의 이별을 준비할 때 나는 어떤 점 때문에 Z와 헤어져야 하는지를 세세히 고민해 보았고 Z의 새로운 것을 싫어하는 성향도 고려 대상이었다. 일상 가운데 찾아오는 돌발성은 나에게 즐거움을 주는 요소였지만 Z에게 그런 사건은 고난이 되었다. 이렇게 다른 부분에 대해 처음에는 내가 맞고 그가 틀리다고 단정했었지만 이제는 그것이 그의 단점이 아닌 특징일 뿐이란 걸 인정한다.

그러므로 C와의 연애에서도 나는 Z와의 기억을 발판 삼아 여러 가지 실험을 해 봐야 했다. 나는 그때마다 C의 반응을 통해 넘어도 되는 선과 넘지 말아야 될 선을 하나씩 체크해 볼 수 있었다. 예를 들어 갑자기 전화를 걸어 만나자고 했을 때 그의 반응, 아니면 갑자기 선물을 건넸을 때나, 아니면 '친구 만났으니 이따 연락할게.'라는 메시지를 보냈을 때 그의 반응 등. 그런 것들을 통해 나는 C가 어떤 사람인지, 어떤 상황을 받아들일 수 있는 사람인지를 하나씩 표시해 둘 수 있었다. 그렇게 체크리스트를 하나씩 채워 갈 때 점점 더 C에 대해 알고 있다고 생각하고 그와 연결되는 느낌을 받는 것이었다. 그러나 나는 아직은 C의 행동에서 패턴이나 이유를 잘 읽지 못하는, 즉 C에 관한 한은 초보자였고 그가 예상치 못한 행동으로 나를 당황하게 하는 순간들을 맞닥뜨렸다. 그럴 때 나는 이 오류에 대처하기 어려웠고 그와의 오류는 결국 신뢰를 깨뜨리는 문제가 되었다.

그는 친구가 많은 사람이었다. 종종 술을 마시러 가면 두세 시간씩은 연락이 끊기곤 했다. 그런 날이면 그는 친구들과 헤어질 때 취한 채로 내게 전화를 걸어 알아들을 수 없는 말들을 횡설수설 늘어놓았다. 그 시각은 가끔 새벽 2시가 넘어갔고, 나는 끊겼던 연락 이후로 갑자기 걸려오는 취한 그의 전화에 짜증이 나곤 했다. 그러나 그는 이런 문제를 제외하고는 나를 화나게 하는 일이 없었다. 그랬기에 나는 더욱 그가 연락이 끊기거나 취해서 하는 전화에 화를 내야 하는지, 아니면 그의 유일한 단점이려니 여기며 넘어가야 하는지 헷갈렸다. Z는 C보다도 훨씬 많은 단점을 가진 사람이었지만 나는 Z에게 관대했었다. C에게는 내가 어떤 기준을 세워야 하는 걸까?

나는 이런 C의 모습이 내 이전의 연애와 비교해서 틀렸다고 생각해야 하는지, 아니면 그저 C가 가진 특징일 뿐이라고 판단을 해야 하는지 결정이 서지 않았고, 거기서 오는 불안함은 결국 그를 믿지 못할 존재로 만들어 버렸다. 그가 늦게까지 술을 마시고 다음 날 아침에 연락을 한 날, 나는 그에게 이별을 고했다. Z 사전에는 늦은 술자리가 없었다. Z의 기준으로 연애를 시작해 버린 나에게 C의 늦은 술자리는 오류사항이었다. 극단적으로, C의 일상 자체가 나에게는 오류사항이었다. 그렇게 C와의 연애도 여름이 끝나면서 같이 끝나 버렸다.

말했다시피, C와의 만남은 Z와의 연애를 시작한 후로 너무 오랜만에 시작된 연애였다. 나는 이 어지러운 관계에 조금 놀랐다. 맞다. 연애라는 건 이렇게 사람을 어렵게 하는 것이었다. 나는 C와 헤어진 후 틴더로 계속 사람을 만나도 될지 얼마간 고민했다. 틴더에서 만난 C에게 생각보다 내 시간과 감정을 많이 쓰게 되었다는 사실에 나 스스로도 놀랐기 때문이다.

남자 C : 그 이후

C를 만나기 시작했을 때 친구들은 내가 오랜 연애를 마치고 처음 하는 연애에 대해 궁금해했다. 나는 어떤 친구에게는 남자친구가 생겼다는 이야기를 한 후 잠시 고민했다. C를 틴더에서 만났다고 사실대로 말해도 될까? 그 친구가 C와 나의 관계에 대해 지레 편견을 가지게 될까 봐 걱정되었다. 결국 나는 그 친구에게 C를 회사에서 알게 된 사람이라고 거짓말했다. 그리고 그때 그런 거짓말을 하면서 내가 과연 제대로 된 연애를 하고 있는 건지 의구심이 들기도 했다. 사실대로 말하지 못하는 만남으로 시작한 연애여도 괜찮을까?

틴더로 사람을 만나고 그 사실을 주변 누군가에게 말하려고 할 때 이런 고민을 늘 한다. 나는 아직도 아주 가까운 사람을 제외한 나머지 사람들에게는 내가 틴더를 한다는 사실에 대해 언급하지 않는다. 내가 틴더에서 만나는 남자들은 종종 소개팅으로 만난 사람, 혹은 우연히 알게 된 사람 정도로 정리된다. 나는 내가 '틴더하는' 사람으로 정의되는 게 여전히 꺼려진다. 그 이유는 아마도 틴더에 대한 편견이 나뿐만 아니라 다른 사람에게도 있기 때문일 것이다. 그러나 마냥 편견이라고만 하기엔, 틴더에 대한 어떤 이미지는 사실 나의 한 부분이기도 하다.

그러나 틴더와 닮은 나의 일부분을 나를 잘 모르는 사람들에게까지 보여 주고 싶지는 않다. 그 일부의 이미지가 나란 사람 전체를 결정해 버릴 수도 있다는 걱정을 하기 때문이다. 그래서 나는 틴더를 한다고 해서 나를 판단하거나 오해하지 않을 사람들에게만 사실대로 말한다. 나는 그냥 틴더를 할 뿐이고 그렇다고 해서 내가 어떤 종류로 분류되는, 그러니까 원나잇을 즐기거나 가벼운 연애를 하는 사람으로만 정의되고 싶지는 않다. 누군가에게는 이런 나의 생각이 기만일 수도 있지만, 누구라도 그런 이미지로 자신이 결정되어 버리는 건 싫을 것이다. 나는 틴더로 여러 사람을 만나기도 하지만, 원한다면 연애를 하지 않을 수도 있고 아주 긴 연애도 할 수 있는 입체적인 사람으로 존중받고 싶다.

슬프게도 나를 그런 이미지로 결정하고 판단하는 사람들은 틴더에 가장 많다. 틴더에서 만난 사람들에게는, 틴더를 한다는 이유만으로 나는 '아무하고나 자는' 사람이 되어 버리기도 하고 가볍게 막 대할 수 있는 사람이 되어 버리기도 한다. 틴더를 하는 동안 나는 그런 사람들에게 훼손되지 않으려 애썼다. 나를 함부로 대하지 않을 사람들만 만나려고 노력했지만 당연히 쉬운 일은 아니었다. 그렇지만 현실에서도 나를 존중하는 사람만 만나기 어려운 건 매한가지다.

남자 D : 친구를 만났다

C와의 연애가 끝나고 몇 달 후, 나는 오랜만에 틴더에 접속했다. 회원 가입을 다시 하고 틴더의 바다를 헤엄치던 중 익숙한 얼굴이 눈에 띄었다. 대학교 때 나와 같이 학교 근처 카페에서 알바했던 남자 D. 그는 우리 학교 학생이었다. 좀 더 자세히 이야기해 볼까. 대학교 때 D는 종종 나에게 놀자고 연락하거나 뮤지컬 티켓이 생겼다며 전화를 걸어오는 사람이었다. 나는 당시 Z와 사귀고 있었기 때문에 D에게 연락이 오면 학교 수업 후 간단히 점심 식사를 하곤 했다. 그는 대학을 졸업하고도 종종 연락을 주던 다정한 친구였다. 나는 틴더 화면 속, 오랜만에 보는 D의 얼굴을 보며 웃었다. 그는 호탕하고 장난기 넘치는 스타일이었고, 나는 가벼운 마음으로 D에게 카카오톡 메시지를 보냈다.

'틴더에서 친구라도 찾나 보지?'

D는 당황하는 기색 없이 자신을 틴더에서 봤느냐고 물었고 곧이어 전화가 걸려 왔다. 얼마 전 오픈한 자신의 카페로 놀러오라는 전화였다. 나는 역시나 가벼운 마음으로 며칠 뒤 D가 열었다는 그 카페에 놀러갔다. D는 마침 커

피를 내리고 있었다. 곰처럼 덩치가 크고 수염이 있는 남자. 나와 알바할 때도 그 큰 손으로 커피를 참 잘 내리던 사람이었다. 특유의 호방한 웃음을 보이며 나에게 인사하는 D를 보니 반가웠다.

"얼마 만이지?"

우리는 으레 하는 인사로 대화를 시작했다. 오랜만에 대화를 하게 된 그와 나의 집은 알고 보니 걸어서 10분 거리에 있었다. 그는 내게 마감하고 집에 데려다줄 테니 조금만 기다리라고 했다. 그리고 우리는 자연스럽게 집 근처에서 술을 한잔하게 되었다. 나는 조금 헷갈렸다. 우리는 지금 예전처럼 친구로 만난 걸까? 아니면 틴더를 징검다리 삼아 이성으로 만난 걸까? 틴더에서 우연히 만났지만 술자리에 앉기까지 모든 게 자연스러웠고 묘한 기분이 들었다. 익숙한 듯, 그러나 전혀 새로운 자리였다. 생각해 보면 D와는 한 번도 술을 같이 마신 적이 없었다. 나는 늘 Z를 사귀고 있었다. 그러니까 D와 어떤 가능성이 열린 상태로 마주한 건 그날이 처음이었다. D는 종종 나에게 연락을 했었지만 나는 한 번도 D와 만나야겠다고 진지하게 생각해 본 적이 없었다. 그래도 그는 가끔씩, 그리고 꾸준히 나에게 연락을 했다. 이제서야 D의 목적 없는 연락, 핑계가 되는 뮤지컬 티켓 같은 것들이 다시 떠오르기 시작했다. 그날의 술자리는 새벽까지 이어졌고, 나와 D는 키스를 나눴다.

다음 날 출근길, D는 우리 집 앞에 찾아와서 나를 회사까지 태워다 주었다. 맞다. D는 원래 그런 사람이었다. 나에게 기꺼이 자신의 남은 시간을 내어 주던 친구. 밥을 잘 사주고 티켓이 생기면 주저 없이 연락하던 그런 친구. 그런데 키스라니. 섹스도 아니고 연애도 아닌, 애매했다. 해석할 길 없는 스킨십이었다. 나는 D에게 전날 새벽에 한 키스의 의미에 대해 묻지 않았고 D도 그냥 운전을 할 뿐이었다. 그날 그는 우리 회사 근처 카페에서 일을 하다가 나와 함께 점심도 먹었다. 며칠 후 일이 끝난 시간에도 그는 나를 데리러 오거나 또는 그의 카페로 오라고 했으며 나는 그와 정의할 수 없는 몇 주를 보내게 되었다. 어느 날, 그가 자기 집 옥상으로 나를 초대했다. 밤이었고 나는 시원한 캔맥주를 사 들고 털레털레 걸어서 그곳으로 갔다. 그곳은 D가 사는 빌라 꼭대기 층과 연결된 옥상이었다.

가을밤은 사람을 약간 미치게 하는 게 있다. D의 옥상에는 벤치와 연결된 테이블이 있었고, 난간에는 노란 전구들이 걸려 있었다. 옥상에 도착한 순간부터 오늘 무엇인가 시작될 수도 있겠다는 예감이 들었다. 나는 옷소매를 흔드는 가을바람을 만끽하며 도로가 보이는 옥상의 벤치에서 그와 'Rhye'의 음악을 들었다. 멀리 보이는 차들과 걸어가는 사람들은 현실감이 없었다. 지나치게 로맨틱한 풍경이었다. 그는 내 옆에서 노트북으로 일을 하다가 맥주를 한 모금씩 마셨다. 나는 하릴없이 벤치에 누워 키

보드를 두드리는 소리를 들으며 D가 하는 일을 구경했다. Rhye가 부르는 건조한 바람 같은 노랫소리를 들었다. 결국 그날 밤 나와 D는 하룻밤을 같이 보냈다.

원래 알던 친구와 섹스를 하는 건 좀 웃기기도, 동시에 지나치게 로맨틱하기도 했다. 서로를 새삼스럽게 쓰다듬는 일, 서로를 다른 눈빛으로 바라보는 일이었다. 나는 혼란에 빠졌다. 그는 분명 좋은 친구였다. 자주 연락하진 않지만 가끔씩 오래 볼 것 같은 그런 사람. D와 나는 이제 어떻게 되는 거지?

남자 D : 두 번째

D와 나는 어떤 식으로든 이전의 관계로 돌아갈 수 없게 되어 버렸고, 우리는 선택을 앞두고 있었다. 연애를 시작하느냐 이대로 쿨하게 안녕하느냐. 나는 쉽사리 그 결정을 내리지 못했다. 연애도 안녕도 싫었다. 나는 그와 다시 친구로 지내고 싶었다. 우리는 그 후로도 계속 연락을 주고받았다. 섹스는 없이, 친구처럼. 그러나 한 번 밤을 같이 보낸 사이에 생긴 미묘한 텐션이 다시 없던 것처럼 되기는 힘들었던 모양이다.

D는 예고 없이 나를 보러 오거나, 저녁을 먹자고 전화를 걸어왔다. 우리는 사귀자는 말이나 그만하자는 말없이 애매한 상태로 몇 주를 보냈다. 나는 애써 쿨한 척하려 했지만 사실은 답답했다. 점점 더 D와의 관계에 궁금증이 생겼다. D는 나와 뭘 하고 싶은 걸까? 나로서는 D와 이미 돌이킬 수 없는 지점을 지나 버렸다는 생각이 들었고 뭐가 되었든 결정이 필요했다. 결국 어느 날, 참지 못하고 D에게 물어보았다.

"어떻게 할까?"

그도 나도 연애할 마음이 없었다. 나는 그에게 이런 관계가 마음을 어지럽힌다는 이유로 더는 만나지 않는 게 좋겠다고 이야기했고, 그도 받아들였다. 다시 혼자 남은 나는 그와의 시간에 대해 곱씹어 보았다. 그와 옥상에서 함께 노래를 듣던 밤은 유난히 날씨가 좋았다. 도시의 밤하늘, 별은 보이지 않았지만 멀리서 들려오는 차 소리와 노란 불빛이 왜인지 내 마음을 들뜨게 했다. 아름다운 밤이었고 나는 D가 좋았다. 그런데도 나는 왜 D와의 관계에 어려움을 느끼는 걸까?

Z는 D를 싫어했었다. 종종 D에게서 전화가 오는 걸 보고 아무 말도 하지 않았지만 그는 나와 D의 관계에 대해 의문을 갖고 있었다. 같은 과도 아닌데 왜 그렇게 친한 거냐며 볼멘소리를 했다. Z는 원래 나의 친구 관계에 대해 잔소리하는 스타일이 아니었기 때문에 그게 유독 기억에 남았다. Z는 그때 알았던 걸까? 나와 D의 관계가 친구 이상으로도 발전될 수 있다는 사실을.

D와의 관계를 정리한 지 한 달 후, 그에게서 연락이 왔다. 밤 열한 시였다. 그는 우리 집 앞에서 나를 기다리고 있었고 나는 별말 없이 그와 드라이브를 나섰다. 창문을 열고 달리는 동안 D와 나는 한마디도 하지 않았지만, 참 나. 그날도 어쩜 그렇게 날씨가 좋던지. 우리는 30분 정도를 달려서 서울 근교에 있는 호수에 도착했다. 큰길 옆으로는 길게 늘어선 가로수를 따라 호수가 흐르고 있었다.

나는 바람에 머리칼이 이리저리 흐트러지도록 내버려 둔 채 풍경을 바라보고 있었다. 밤이 늦은 시간이라 차가 거의 없었고 어두운 호수의 물빛은 조명을 받아 반짝거렸다.

"조정 경기장이래. 낮에는 여기서 조정 연습하는 거 종종 보여."

D가 드라이브를 시작하고 처음으로 꺼낸 말이었다. 그와 친구가 아니게 된 순간부터 우리가 만나는 날들은 지나치게 로맨틱했다. 나는 그걸 이길 도리가 없었다. 우리는 편의점 앞 벤치에 음료수를 사 들고 앉았다. 그리고 그곳에서 조금 뒤늦은 한 달간의 안부 인사를 나누고, 연애를 시작했다.

내가 원래 친구로서 알던 모습 그대로, 그는 자유롭고 새로운 걸 좋아하는 사람이었다. 그는 내가 모르는 새로운 곳에 나를 자주 데려갔다. 어떤 날엔 문 닫은 그의 카페에서 밤늦게까지 술을 마실 수도 있었고, 그가 아는 셰프가 하는 가게에 데려가 메뉴에는 없는 음식을 주문해 주기도 했다. 그는 남들이 다 가는 맛집보다는 그만이 알고 있는 곳에서 데이트하는 걸 좋아했다. 나는 그가 데려가는 곳이나 그가 아는 사람들을 만나 새로운 데이트를 하는 게 들뜨고 즐거웠다. 그러나 그게 가능한 시간은 D가 시간이 날 때였다. 나는 나의 시간보다는 D가 쉬는 때에 내 시간을 맞춰야 했다.

D는 자신의 시간이 우선인 사람이다. 친구였을 때는 바쁜 와중에도 기꺼이 내게 짬을 내주는 것이 고맙기만 했는데 이제 그와 연인이 되고 보니 나에게 내어 준 그 시간은 그가 쓸 수 있는 시간 중 일부에 불과했고 그에게 무엇보다 중요한 건 자신의 일에 쓰는 시간이었다. 우리가 연애를 시작했다고 해서 그에게 일부가 아닌 전부를 달라고 요구할 수는 없는 노릇이었다. 내가 애초에 그를 몰랐다면, 친구로부터 관계를 시작하지 않았다면 그렇게 할 수 있었을까? 주말에는 나에게 시간을 써 달라, 시간이 나면 전화를 해 달라 등의. 나는 오래전부터 그를 알고 있었고, 연인이 된 후라고 해서 그의 일상에 개입함으로써 관계가 아슬아슬해지는 걸 원하지 않았다. 연인은 으레 맞지 않는 부분을 맞춰가며 싸우거나 서운해하기도 한다. 물론 그런 과정에서 관계가 깊어지는 것이겠지만, 나는 그와 그런 과정을 해낼 자신이 없었다. 내가 아는 D는 자신의 일상이 침범당하면 나를 떠날 사람이었다. 슬프게도, 나는 그를 너무 잘 알고 있었다. 나는 그의 일상에 개입한 적 없는 친구였고, 연인이 되었다고 해서 그걸 갑자기 넘어설 수 없다는 생각이 들었다.

그런 이유로 D와의 연애는 그리 오래가지 못했다. 우리는 얼마 안 가 금방 헤어졌고 내가 잃은 건 단순히 연인으로서의 D뿐만 아니라 친구로서의 D이기도 했다. 좋은 친구와 연인이 되는 것에 이런 결말이 기다릴 줄은 생각지 못했다. D와의 만남에서 내가 한 번 더 배운 건, 어떤 관계는 절대 되돌릴 수 없다는 것이다. 그와 어느 선을 넘은 시점에서는 우리 관계를 돌이킬 수 없었다. 친구로는 돌아갈 수 없는, 선을 넘은 사이. D는 내가 좋아하는 친구였다.

D를 잃고 나서 우습게도 나는 Z와의 이별을 떠올렸다. Z는 나의 연인이기 이전에 나의 친구였다. 그와 헤어지고 나서 나는 그와의 섹스나 그에 대한 이성으로서의 기억보다는 그가 나와 제일 가까운 친구였다는 점이 가장 마음이 아팠다. 우리는 서로의 일상을 누구보다 시시콜콜 알고 있는 사이였고, 고민이 생기면 가장 먼저 서로에게 털어놓는 내밀하고 친한 친구였다. 그런 사람과 단번에 연락을 끊는 건 쉬운 일이 아니었다.

나는 Z와 헤어진 후, 여느 때처럼 습관적으로 내 일상을 말하던 사람이 하루아침에 없어져 버렸다는 사실에 당황했다. 지난 5년간 단 한 명만은 매일 나와 연락했는데. 어제는 어땠는지, 오늘은 어떤지, 그리고 내일은 어떤 일정을 보낼지, 한 사람만은 늘 알고 있었다. 그와의 이별 후 힘든 감정이 다름 아닌 Z에게서 왔음에도 나는 그에게 연락해서 '들어 봐. 나 너랑 헤어지고 나서 오늘은 이런 게 힘들었어'라고 털어놔야 하루가 마무리될 것 같은 느낌이었다. 그러나 D도, Z도 이제 없다. 나는 이제 힘든 순간이나 기쁜 순간이 왔을 때 그 하루를 털어놓을 사람이 없는 시간을 보내야 한다. 이제 그 사실에 익숙해져야 했다.

남자 D : 그 이후

새로운 애인이 생기는 일은 일상생활에도 영향을 끼친다. 나는 회사원이기 때문에 평일엔 대부분 회사에 있고, 퇴근 후에는 특별히 약속이 없으면 운동을 가거나 넷플릭스를 보며 남은 저녁 시간을 즐기는 편이었다. Z를 만날 때 나와 Z의 약속은 주로 토요일로 정해져 있었다. 그와 헤어진 후에는 일요일에 느지막이 일어나 동거인과 마시는 커피를 즐기다가 다시 하루 종일 누워 있곤 했다.

그러나 회사원인 나와 달리 D는 카페 외에도 다른 사업을 하는 사람이라 우리는 생활 루틴이 달랐다. 그는 자기가 시간이 나면 나를 보러 왔는데, 그가 데려가는 곳이 늘 새롭고 좋았지만 가끔은 만나는 시간이 너무 늦어 거절하고 싶을 때도 있었다. D가 10시에 우리 집 앞으로 오면 못해도 1시는 넘어야 집에 들어가는 편이었고, 집에 들어가는 시간이 늦어지면 다음 날 회사에서 피곤했다. 그럼에도 D가 나보다 훨씬 바쁜 사람이라 그 시간에 만나는 걸 거절하는 건 어려웠다. 대신 나는 D가 비교적 한가한 점심시간에 그를 우리 회사 앞으로 불러 점심을 먹곤 했다.

애인이 생기면 낯선 침대에서 낯선 어깨와 나란히 자야 할 때도 있다. 나는 누군가와 한 침대에서 자는 게 좀처럼 쉽지 않다. 원래 잘 때 많이 뒤척이는 편이고, 그럴 때 내 옆에 누군가가 누워 있다는 사실만으로도 신경이 곤두선다. 함께 누워 잘 때면 상대를 깨우지 않기 위해 최소한으로 움직이느라 정작 나는 잠에 들지 못하기 일쑤였다. 심지어 겨우 잠에 들어도 옆에서 소리가 나면 바로 깨는 스타일이었기 때문에, 애인과 하룻밤을 보내며 잠들 수 있는 익숙함이 생기는 데는 시간이 오래 걸리는 편이었다. Z와 만날 때도 그와 침대에서 잘 때 잠 못 드는 날이 태반이었고 1년이 지나고서야 그의 몸이 내 옆에 누워 있다는 사실에 익숙해졌다. 나는 새로운 애인이 생기면 그들의 몸이 내 잠자리에 익숙해지길 기다리며 종종 밤을 새우곤 했다.

이렇듯 나의 생활에 누군가 들어오면 새롭게 신경 써야 하는 것들이 생긴다. 나는 내가 혼자 편하게 쉬고 자던 시간을 쪼개야 한다. 어떨 땐 아늑한 나의 집을 두고 낯선 그의 집에서 잠에 들어야 하고 내가 쓰지 않는 샴푸와 바디워시로 몸을 씻어야 한다. 그건 내가 그를 사랑하든 사랑하지 않든 종종 귀찮고 번거롭다. 낯선 것에 나의 에너지를 쓰는 일이니까.

남자 E : 결혼이요? 여기서요?

나는 연애를 한 대가로 친구를 한 명 잃었고, 나도 모르게 그때 받은 상처 비슷한 감정들이 쌓인 채 겨울과 봄이 지났다. 속절없이 여름이 또 다가오는 중이었다.

'다음에 만나는 남자는 안정적인 사람을 만나야지.'

틴더를 시작한 후로 연애들은 대체로 짧고 가벼웠다. 나는 점점 피로감에 휩싸였다. 앱에서 만난 사람들과의 관계에는 내가 의지하거나 신뢰할 만한 구석이 없었다. 그러나 그것과는 별개로 틴더라는 앱에 대한 편견은 점차 사라지고 있었다. 틴더로 만난 남자들이 생각보다 내 주변 사람들과 크게 다르지 않았기 때문이다. 이걸 처음부터 알았더라면 이전에 만났던 사람들과 좀 더 발전적인 관계가 가능했을지도 모르겠다. 어쨌든 그동안의 짧고 가벼운 만남에 지친 나는 일상적이고 안정적인 연애를 다시금 원하게 되었다.

그러던 중 만나게 된 남자 E는 내가 원한 '안정적인' 사람에 가까웠다. 그는 적지도 많지도 않은 연애 경험을 가지고 있었고 모텔보단 호텔을 선호했다. 적당히 팬시한

레스토랑이 어디에 있는지 알고 있고 이자카야에서 술을 마시면 대리를 불러 나를 집 앞에 데려다줄 수 있는 사람이었다. 내가 상상한 30대 중반의 모습. 어른의 연애 방식에 평균을 내 본다면 그중 가장 가운데에 있을 것 같은 그런 사람이었다.

그렇다면 나는 과연 어느 지점에 있을까? E에 대해 생각하다 문득 나는 어떤 연애를 해 왔는지 상기해 보았다. 보통 연애를 앞두면 여러 선택지를 마주하게 된다. 산책하는 사람과 드라이브하는 사람. 기념일을 중요하게 여기는 사람과 기념일에 매이는 걸 싫어하는 사람. 문자를 좋아하는 사람과 전화를 좋아하는 사람. 주말 내내 붙어있는 데이트와 짧게 자주 보는 데이트. 마치 이상형 월드컵을 하듯 연애에서도 내 취향을 찾아보게 된다. 틴더의 즐거운 점은 이 모든 선택지를 다 만나 볼 수 있다는 점이다. 나는 틴더를 하면서 여러 사람들과 만났으므로 그들과 나의 선택지를 비교해 보며 채점할 수 있었고 그로부터 내가 좋아하는 연애 스타일을 고를 수 있었다. 이번에 고른 선택지는 E의 '편리함'이었다. 덕분에 E와의 연애는 편했다. Z와 연애할 땐 그 편리함이 지겨워서 싫었으면서. 내 감정이 이렇게 쉽게 변하는 게 우습기도, 짜증나기도 했다.

E의 친구들은 대부분 결혼을 했거나 아이를 키우는 기쁨(혹은 고통)을 맛보고 있었다. 서른 중반의 남자. 그가

연애의 종점에서 원하는 것은 결국 그런 가정이었다. 나는 E와 몇 번 만나면서 그가 결혼을 생각하고 있다는 걸 곧 알아챘고 그런 목적이라면 왜 틴더를 하느냐고 물었다. 그는 혼자 사업을 하는 사람이었고 사람 만날 곳이 없다고 대답했다. 무엇보다 가까운 친구가 틴더로 결혼할 여자친구를 만났다는 말에 자기도 시작했다는 것이다. 틴더로 결혼 상대를 찾았다고? 물론 나도 처음에는 틴더와 결혼, 두 단어의 조합이 어색하게 느껴졌다. 하지만 틴더를 하다 보면 E처럼 진지한 연애 혹은 결혼을 기대하는 사람이 의외로 굉장히 많다는 것을 알게 된다. 이제 틴더를 포함한 데이트 앱은 결국 주선자 없는 맞선이 된 셈일까? 결혼 생각이 없는 나로서는 이해하기 어려운 이야기지만 지금 같은 시대에는 나름 그럴듯한 방식 같기도 하다.

E와의 연애는 글로 옮길 것도 없이 평범했다. 긴 시간에서 오는 둘만의 역사나, 혹은 짧은 만남이 주는 스릴 같은 것도 없는 대단히 평범한 연애. 그러나 E의 선택지에는 결혼이 있었고 내 선택지에는 없었다.

남자 E : 두 번째

우리가 만난 지 4개월쯤 되었을 무렵 E는 그의 친구가 결혼한다는 소식을 전했다. 그는 나를 친구의 결혼식에 데려가고 싶어 했다. 문득 나는 몇 년 전 대학 친구의 졸업식을 떠올렸다. 친구는 3년이나 사귄 남자친구가 있었음에도 자신의 졸업식에 남자친구를 부르지 않았다. 우리는 의아해서 남자친구는 왜 안 오냐고 물었고 친구는 그 순간 얼버무렸다. 나중에서야 친구는, 자신이 그 남자친구와 언제 헤어지게 될지 모르는데 인생의 중요한 행사인 졸업식에 그가 와서 사진을 남기는 게 껄끄러웠다고 말했다.

"졸업식 사진은 평생 남는 거잖아. 나중에 앨범을 열었는데 거기에 헤어진 남자친구가 있는 것만큼 어색한 일도 없지 않아?"

나는 원래 그런 구차하고 어색한 순간들조차 추억으로 여기는 편이다. 반면 내 친구는 늘 가족이 있는 미래를 설계하고 확신하는 사람이었던 것 같다.

E가 친구 결혼식에 나를 초대했을 때 나는 그 친구의 말

이 떠올랐다. 나는 E와 그 주변인들의 추억에 어색한 순간으로 남는 것이 걱정되었다. E가 꿈꾸는 미래에 내가 함께할 수 없을 거라고 생각했기 때문이리라. 어떤 사람의 추억에는 쉽사리 끼어들기 어려운 법이다. E가 그랬다. 그는 안정적인 가정을 꾸리고 싶어 했다. 그러나 나는 그와 그럴 생각이 없었다. 게다가 고작 4개월 만난 주제에 그의 미래의 아내가 신경 쓸 거리를 만들고 싶지 않았다. 나는 다른 약속이 생겼다는 핑계로 그 결혼식에 가지 않았다. 그리고 앞으로도 이런 순간들을 맞닥뜨릴 것이라는 예감이 들었다. 더 늦기 전에 결혼 생각이 없다고 그에게 말해야 했다. 그는 나 역시 누군가와의 결혼을 당연히 원하고 있을 거라고 생각하는 듯했다. 나는 그가 기대하는 사람이 아니었다.

나도 언젠가 결혼이란 걸 생각했던 적이 있다. Z와의 결혼이었다. 어렸을 때부터 나는 결혼에 부정적이었는데, 결혼을 이유로 생판 모르는 남들과 가족으로 엮이는 것은 생각만 해도 지치고 힘든 일이었다. 결혼을 한다는 건 내가 한 사람을 가족으로 받아들인다는 의미 이상으로, 상대의 가족과도 깊게 연결되는 일이었다. 나는 원래 가까운 사람들에게도 연락을 잘하거나 세심하게 챙기는 성격이 아니었다. 그런 내가 결혼을 했다고 해서 배우자의 가족에게 주기적으로 연락하거나 신경을 쓰는 일을 잘할 리 없었다.

그러나 Z와 함께한 시간이 지날수록 이 연애의 종착지를 결혼 이외에 다른 형태로는 생각할 수 없게 되었다. 연애 초반부터 결혼이라는 제도가 싫었기에 나는 결혼에 관심 없다고 Z에게 말했었다. 그러나 그를 만나는 기간이 길어질수록 그가 없는 미래가 상상이 되질 않았다. Z는 결혼을 원하는 사람이었다. 그가 원했기 때문에 나 또한 '결혼'이라는 형태로 그와 함께 사는 것을 준비하고 있었다. 우리는 연애한 지 4년이 지난 뒤부터는 어디에서 살 건지, 결혼식은 어떤 식으로 할 건지를 조금씩 고민했다. 그러나 동시에 내 안의 어떤 부분이 깎여 나간다는 느낌도 지울 수가 없었다.

언젠가 같이 갔던 여행지의 숲길에서 나와 Z는 손을 잡고 걸으며 결혼에 대한 이야기를 했다. 행복한 상상으로 시작했던 대화는 점점 엇나가기 시작했다. 나는 아이를 원하지 않았고 Z는 (당연하게도) 아이를 원했다. 나는 내가 아이를 가짐으로써 포기해야 하는 것들에 대해 말했고 Z는 그것을 자기가 덜어 줄 수 있다며 나를 설득했다. 과연 그는 내가 포기해야 하는 것들 중에 어떤 걸 나눠 짊어질 수 있을까? 내가 아는 한 그런 건 없었다. 임신도 출산도 Z와 나눌 수 없는 것이었다. 여자로 태어났기 때문에 임신과 출산, 이 모든 걸 감내해야 한다는 사실을 떠올리면 정신이 아득해질 지경이었다. 다른 사람들은 도대체 어떻게 아이를 낳는 거지? 숲길 끝에 도착했을 즈음 나는 울고 있었고 잡고 있던 Z의 손이 갑자기 너무 낯설게 느껴졌다. 나와 그는 남이었다. 우리가 결혼을 한다고 해서 절대 하나가 될 수는 없었다. 바로 그 순간 Z의 미래에 어쩌면 내가 없을 수도 있겠다는 생각을 처음으로 하게 됐다.

나에게 결혼이란 나를 포기해야 하는 것, 나를 내가 아닌 누군가의 아내나 며느리, 아이 엄마로 만들어 버리는 것이었다. 언젠가 나를 있는 그대로의 모습으로 봐 주는 사람이 나타난다면, 그때는 결혼을 할 수도 있겠다. 슬프게도 지금껏 만난 남자 중에는 그런 사람이 없었다. 결혼을 당연하게 여기고 있는 E도 마찬가지였다. 내가 그에게 결국 결혼 생각이 없다고 말했을 때, 역시나 적잖이 당황하는 눈치였다.

"아니, 도대체 왜?"

그가 반문했다. 왜라니. 나는 마음속으로 '그럼 당신은 왜 결혼을 하려고 하는 건데?'라는 원론적이고 반항기 어린 물음을 던졌지만 입 밖으로 꺼내지는 않았다. 대신 이렇게 물었다.

"틴더로 누굴 만나서 결혼까지 할 수 있을 거라고 생각해?"
"그게 왜 불가능해?"
"위험하잖아. 불안하고."
"…그런가?"

그는 틴더로 누굴 만나는 게 왜 불안한 일인지 좀처럼 이해하지 못하는 듯했다. 간단하고 쉬운 믿음이었다. 나는 앱으로 사람을 만날 때 상대에 대한 불안감이나 위험성을 의식하지 않은 적이 단 한 번도 없었다. 내가 많은 걸 감수하면서 만나는 반면 E는 그럴 필요가 없는 것 같았다. 게다가 내게는 결혼 생각이 없었기 때문에 시작할 수 있는 틴더였는데, 누군가에게는 결혼으로 가기 위한 수단 중 하나가 될 수도 있었다. 나는 틴더와 결혼이 어쩐지 비슷하다는 느낌을 받았다. 남자들은 틴더를 하든 결혼을 하든 본인이 감수해야 하는 것에 대해 고려할 필요가 적은 것 같다. 나는 틴더를 할 때 상대가 괜찮은 사람인지, 어떨땐 심지어 그가 나를 해치지 않을 사람인지도 살펴야 했고 그건 결혼도 마찬가지다. 내가 결혼을 하지 않으려는 이유는 틴더와는 비교도 안 될 만큼 감수해야 할 게 많다고 생각했기 때문이다.

애매한 대화가 끝나고 우리는 어색하게 술집에서 나왔다. E는 말이 없었다. 내가 그가 원하는 걸 들어줄 수 없는 사람이라는 계산이 아마 섰을 것이다. 나는 아마 그의 시간을 낭비하고 있는 것일지도 몰랐다. 여기까지 생각이 미치자 그와 다시 만날 수 없을 거란 생각이 들었다. 역시나 그는 얼마 안 가 이별을 고했다. 그는 내 얼굴을 보고 싶지 않다고 했다. 그래서 우리는 카카오톡 메시지로 헤어졌다. 틴더로 만나는 이들이 이별 후에 각각 내게 남기는 생채기는, 각오를 했음에도 불구하고 좀처럼 적응되지 않았다. 나는 이렇게 가볍고 갑작스럽게 E와 헤어지게 되었다는 게 허탈하고 허무했다.

남자 E : 그 이후

나는 E와 헤어진 후, 마치 중간 정산을 하듯 틴더를 하며 지나온 관계들을 새삼 복기해 보았다. 분명 막무가내로, 그러니까 지난 연애에서 못해 본 것에 대한 보상심리로 시작했지만 어느새 틴더를 통해 경험한 관계들은 나를 바꿔 놓고 있었다. 어떤 사람은 Z가 주지 못했던 걸 쉽사리 내놓았고, 어떤 사람에게서는 Z와 같은 모습을 발견하고 안도하거나 실망하기도 했다. 나는 틴더에서 기대하지 않았던 새로운 관계들을 마주하게 되었고, 그럴 때마다 나는 나 자신을 들여다보며 관계의 성숙에 대해 고민하게 되었다. 그리고 그 불안했던 시점을 지나자, 어느덧 내가 틴더에서 만나는 사람들은 Z를 기준 삼던 굴레에서 벗어나 독립적인 내 연애 상대가 되었다.

나는 이제 술자리에서 친구들에게 안줏거리로 Z보다는 A에서 E까지의 이야기를 더 많이 내어놓는다. Z 한 명과 했던 긴 연애보다 훨씬 이상하고 다양한 이야기들이 몇 년 사이에 생겨 버렸으니까. 게다가 나는 틴더로 만난 사람 중 몇몇에게 사랑의 감정을 느꼈고, 그로 인해 당연히 상처도 받았다. 처음 틴더를 시작할 때는 예상하지 못한 것이었다. 가볍게 시작했던 틴더로 인해 나의 많은 부분이 달라졌음을 느낀다. 그들은 내게 영향을 끼치고 있었다. 나는 내가 하고 싶은 연애를 찾아서 계속 헤매고 있었으며, 내가 나로 존재할 수 있는 건강한 연애를 하기 위해 만남과 헤어짐을 반복하고 있었다.

만남이 E까지 오면서, 연애할 때 내가 원하는 대로 감정을 숨기거나 혹은 덜 소모할 수는 없다는 것을 깨달았다. 누군갈 만날 때 내가 그에게 마음을 덜 쓰겠다고 다짐하는 건 결국 솔직하지 않은 연애를 하겠다는 말이다. 마음을 덜 드러내고 감정을 덜 소모할수록 나는 그에 대해 자세히 알 수 없고 그의 진심을 그대로 받아들일 수도 없다. 상대의 진심을 무시하는 것만큼 후회되는 일도 없다. 처음에 A와 B를 그런 식으로 만났지만, 더 많은 사람을 만나 대화하고 알아가는 시간 속에서 애써 억눌렀던 감정은 다시 고개를 내밀었다. 그들은 마음이 쓰이는 존재가 되어버리고, 내가 그들에게 마음을 쓴다는 건 결국 상처를 받을 위험도 함께 열린다는 의미이다.

틴더를 하면 할수록, 앱으로 만나는 방식이 쉽고 간단하다고 해서 끝맺음까지 간단한 건 결코 아니라는 걸 배웠다. 그리고 E를 포함한 많은 남자들에게 마음을 쓴 만큼 나는 상처를 받았다. 내가 상처를 받았다고 해서 그들이 나에 대한 가해자가 된다는 뜻은 아니다. 다만 그들의 어떤 면면이 나에 대한 공격으로 변해서 내게 생채기를 남겼을 뿐이다. 내가 아닌 다른 이에게는 상처가 되지 않을 것도 내게는 상처가 되기도 하는 것이다. 그 상처들은 내게 나쁜 영향을 끼칠 수도 있지만, 대부분은 새로운 경험으로 남거나 자양분이 되었다. 모든 관계는 필수적으로 상대에게 상처를 주기 마련이다. 나로 인해 상대도 상처를 받았을 것이다.

연애는 단순히 연애라는 부분으로만 인생의 한구석을 차지하는 게 아니다. 연애를 한다는 건 한 사람의 서사를 통으로 가져오는 일이다. 누군가와 연애하면 나는 그의 과거, 현재를 보게 되며 그가 앞으로 어떤 미래를 꿈꾸는지도 알게 된다. 어떤 상대에게서는 그의 친구보다도 더 내밀한 것들을 알게 되는데, 누군가에 대해 그만큼 자세히 알게 된다는 건 묵직하고 새로운 깨달음을 가져다준다.

나는 그들의 삶을 어깨너머로 구경하게 된다. 나는 그들을 바꾸려고 하거나 설득하려 하지는 않았지만, 그만큼 그들도 나를 바꾸지 않길 바라고 있었다. 이런 방식의 연애에 대해 누군가는 의문을 가질 수도 있다. 상대를 바꾸려 하지 않는 것도 사랑일까? 나는 여전히 이런 종류의 사랑도 있다고 믿는다. 나는 아직도 나와 딱 맞는 상대를 찾지 못했기 때문에 앞으로도 다양한 종류의 연애를 해 볼 것이다. 물론 이게 휘지 않아 부러져 버리는 나무처럼 어리석은 태도일지도 모른다. 그리고 언젠가는 Z에게 했던 것처럼 나를 바뀌게 하는 상대를 또 만나게 될지도 모른다. 그게 좋은 건지 나쁜 건지는 알 수 없지만, 어떤 사랑은 종종 그렇다. 내가 바뀌고 싶어지는 순간이 온다면 그것도 받아들여야 할 일이다.

남자 F에서 Y까지

A부터 E까지를 제외하고도 다양한 남자들이 나를 스쳐 갔다. 그들과의 사이에 있었던 일들이 하나하나 F, G, H라는 식의 태그를 달아 호명할 정도로 기억에 남는 건 아니다. 이 부분의 이야기는 그냥 F에서 Y 사이의 몇몇 남자들에 대한 소회이다. 그들과 있었던 에피소드와 경험담을 조금 풀어 보려 한다.

일방적인 만남

어떤 남자와 대화하면서 그가 나랑 가까운 거리에 살고 있다는 걸 알게 되었다. 나는 그날 마침 친구들과 동네에서 술을 마시고 있었고, 그는 지나가듯 동네 맛집이냐며 내가 있는 식당 이름을 물었다. 나는 의심 없이 그에게 내가 있는 식당을 알려 주었다. 어느 중식당이었다. 그런데 30분이 채 지나지 않았을 때 나는 어떤 남자가 가게에 혼자 들어와 음식을 포장하는 걸 보았고, 그가 나를 힐끔거리는 걸 알아챘다. 나와 대화하던 그 남자였다. 그는 내가 그곳에 있는 걸 알고 나의 실물을 확인하기 위해 그 중식당에 온 게 분명했다. 내가 놀라서 그를 쳐다보자 그는 도

망치듯 그곳을 빠져나갔고, 나는 불쾌해져서 그의 메시지를 무시했다. 그가 몇 번 더 메시지를 보낸 후에도 내가 답장을 하지 않자, '그 집 음식이 맛있다기에 포장하러 갔었어요'라는 식의 메시지를 보내왔다. 어이도 없었지만 소름 끼치는 일이었다.

우리는 만나기로 약속한 게 아니었고, 그에게 내가 있는 곳을 알렸다고 해서 내 얼굴을 보러 와도 된다고 허락한 게 아니었다. 그는 내 얼굴을 확인하기 위해 내가 있는 곳에 왔을 뿐이었겠지만 내게는 그렇게 단순한 문제가 아니었다. 그건 분명히 일방적이고 음침한 방식이었다. 나는 순간 두려움을 느꼈다. 내가 나의 정보를 말했을 때 상대는 그걸 악용할 수도 있었다. 그 이후로 나는 내가 어디서 뭘 하고 있는지, 상대를 직접 만나기 전에는 절대 자세히 말하지 않았다. 나는 그때 '모르는 사람'이 나의 일상에 대해 자세히 알게 되는 것에 두려움을 느꼈다.

보고 싶지 않은 사람

내가 틴더를 시작했을 때는 내 연락처에 저장된 사람들을 차단할 수 있는 기능이 나오기 전이었다. 나는 그래서 종종 틴더에서 보고 싶지 않은 사람을 카드로 마주치곤 했다. 처음으로 내가 마주친 아는 사람은 전 회사 동료였다. 그는 해사한 웃음으로 그의 예민함을 감추고 있었다. 나는 '까탈스러운 놈이 사람 좋은 척 잘하네'라고 속으로 중얼거리며 사진을 넘겼다. 두 번째 장을 넘겨보자 다른 사진이 나왔다. 사진 속 그는 적어도 180cm는 되어 보였다. 그의 키는 대략 170cm이다. 나는 아는 사람이 나오자 재밌어져서 혼자 낄낄 웃으며 그의 카드를 구경했지만, 프로필 설명의 'FWB'라는 단어를 보는 순간, 봐서는 안 될 걸 본 기분이 들었다. 재빨리 그를 왼쪽으로 스와이프 했다. 그 후로도 나는 몇 명의 아는 사람들을 틴더에서 마주쳤다. 가끔 친한 친구를 발견하면 연락해서 놀릴 수 있었지만, 내가 다니는 치과의 원장님이 카드에 등장했을 때 나는 크게 당황했다. 나는 원장님을 왼쪽으로 스와이프 한 후 제발 그가 나를 발견하지 못했길 기도하는 마음으로 한동안 내 틴더 프로필이 앱에 뜨지 않게 설정했다.

어느 날 회사 술자리에서 나와 동갑인 동료가 맞은편에 앉은 나를 보고 갑자기 뭔가 생각났다는 듯 웃었다. 나는 불길한 마음에 그를 바라보았고, 아니나 다를까 그는 나를 틴더에서 발견했다며 큰 소리로 웃었다. 다행히 그 술자리는 나와 친한 동료들만 모여 있는 작은 모임이었고, 그럼에도 나는 당황해서 그에게 복화술로 그 입 좀 다물라고 말했다. 내가 이런 당황스러운 일을 몇 번이나 겪고 나서야, 틴더에 연락처 차단 기능이 생겼다. 휴대폰 연락처 중 틴더에 뜨지 않았으면 하는 사람들을 선택해서 차단 목록에 넣어 둘 수 있다. 다행히 이제 틴더 사용자들이 나처럼 얼굴이 화끈거리는 순간은 덜 겪게 된 것 같다.

1km

나와 아주 가까운 거리에 살고 있는 어떤 남자를 틴더로 알게 되었는데, 그와 우리 집 사이의 거리는 걸어서 약 1분 정도였다. 나는 거리가 가까운 덕에 그를 자주 만날 수 있었다. 우리는 일주일에 최소 5번 정도 퇴근 후 식사나 가벼운 커피 한 잔을 하기 위해 만났다. 그는 아무래도 나를 엄청나게 좋아하게 된 것 같았다. 나를 만난 지 3주 정도 되었을 때, 함께 술을 마시다가 취한 그가 내게 사랑한다는 말을 뱉었다. 나는 지나치게 빠른 사랑 고백에 당황했는데 그는 그 후로도 내게 사랑한다고 자주 말했다. 물론 나는 만난 지 3주 된 남자에게 사랑한다는 말을 뱉는 식의 선의의 거짓말은 못한다.

당시 나는 살던 집의 계약 만료로 이사를 준비하고 있었다. 그를 만난 지 한 달 정도 되었을 무렵이었는데, 원래 살던 집과는 차로 30분 정도 걸리는 거리로 거처를 옮기게 되었다. 내가 이사하는 날 그는 우리 집 앞에 찾아와 이사 선물을 건넸고 마치 멀리 전학 가는 첫사랑을 바라보는 듯한 슬픈 얼굴로 나를 바라보았다. 나는 같은 서울이니 자주는 아니어도 매주 보면 되는데 왜 저렇게 슬퍼할까 싶어 의아했는데, 그 이유를 곧 알게 되었다. 내가 이사한 날 이후로 그는 나의 연락에 답장하지 않았고, 나는 그렇게 그와 어이없이 헤어지게 되었다. 나에 대한 그의 사랑은 아무래도 반경 1km 이내에서만 유효했던 것 같다.

그들이 나를 판단하는 법

나는 취미로 발레를 배우고 있었다. 남자들은 내 취미가 발레라는 사실에 흥미를 보이거나 좋아했다. 발레라는 운동이 주는 이미지가 아마도 여리여리하고 조신한 것이었기 때문일 거다. 그들은 핑크색 레오타드를 입고 하늘하늘 춤을 추는 나를 상상했을지 모르지만, 보통 발레 수업이 끝난 후, 나는 땀범벅에 추노꾼 같은 머리를 한 채 지쳐 있곤 했다. 그들이 발레에 갖는 환상은 허구이며 부질없는 망상에 가까운 것이었다. 게다가 나는 밖에서 사 먹는 음식을 좋아하지 않아서 집에서 요리를 자주 하고 회사에 도시락을 싸 다니는 편이었는데, 내가 발레와 요리, 도시락 이야기까지 하면 남자들은 거의 환호하다시피 나에 대한 호감을 보였다. 대체 왜일까? 내가 요리를 한다고 해서 본인에게 요리를 해 줄 거라고 생각했을까? 그들은 '내가 만나는 사람'이 좀 더 일반화된 여성성에 부합한다는 사실을 알게 되었을 때 나를 더 궁금해하는 경향이 있었다. 어떤 남자는 내게 '도시락 싸 줘' 라는 말을 농담하듯 던졌고, 나는 그 순간 그의 이마를 때리고 싶을 정도로 그 말이 우습고 싫었다. 내가 하는 운동이나 요리 같은 취미들은 온전히 내가 누리고 싶어서 하는 것들이었는데, 상대는 하나같이 나를 보편화된 여성의 이미지로 대상화하고 있었다.

그러나 그들이 나를 실제로 만나는 순간에는, 아마도

그 이미지가 깨졌을 것이다. 나는 팔에 타투가 있고 흡연자이다. 그들은 텍스트로는 알 수 없었던 새로운 정보를 나를 만나는 순간 알게 되었고, 또다시 나를 어떤 이미지로 대상화했다. 그건 내 취미와는 또 반대되는 이미지였다. '담배 피워?'라는 말과 함께 드러나는 당황하는 얼굴과, 타투에서 떼지 못하는 시선들도 내가 발레라는 취미를 말하는 순간의 반응만큼 솔직하고 우스운 것이었다. 내가 타투를 하고 흡연을 한다고 해서 그들을 잡아먹기라도 한다고 생각한 걸까? 그런 사소한 것들로 나에 대한 이미지와 평가가 정해지는 일은 분명히 불쾌한 일이었지만, 덕분에 그런 것들로 나를 판단하지 않는 남자를 찾아야겠다는 교훈은 얻을 수 있었다.

Z에 대하여

Z는 나와 가장 친한 친구였다.

나는 Z의 농담이 제일 웃겼고

Z의 위로에 가장 안도했었다.

그럼에도 불구하고 나는 Z와 헤어졌다.

Z와 나

메디컬 드라마 <그레이 아나토미> 시즌 6에 '크리스티나 양'과 '오웬 헌트'라는 연인이 나온다. 의사인 크리스티나는 일을 중요하게 생각하는 사람이고 오웬은 자신보다도 일이 우선인 크리스티나에게 늘 서운해한다. 16화에서 오웬은 크리스티나에게 상사의 호출을 무시하고 자신과 놀아 달라고 한다. 그렇게 보낸 오웬과의 시간 때문에 크리스티나는 결국 중요한 수술을 놓치고 만다. 크리스티나는 자신이 커리어를 놓치지 않는 사람이라는 걸 알면서도 자신을 꼬여 내 일을 망치게 한 오웬에게 화를 낸다. 그러나 그런 크리스티나를 이해하지 못하는 오웬도 화가 난다. 싸움 끝에 오웬은 결국 크리스티나에게 '왜 내게 모든 것을 주지 않느냐'라며 그녀를 탓한다. 그리고 오웬은 크리스티나의 전 연인 '버크'에 대해 묻는다. 왜 버크와 결혼할 뻔했던 사실에 대해 입을 꾹 다물고 있는지, 버크와 무슨 일이 있었던 건지에 대해. 그때 크리스티나가 이렇게 말한다.

"버크를 만날 때, 그는 내게서 뭔가를 뺏어 갔어요. 내 일부를 뺏어 갔고, 조금씩 천천히 뺏어 가서 나는 눈치도

못 챘어요. 그는 나를 다른 사람으로 만들고 싶어 했고, 나는 그렇게 됐어요. 나는 원래 크리스티나 양이었는데, 어느 날 갑자기 나는 의사 생활을 걸면서까지 버크를 위해 거짓말을 하고 있었고, 결국 결혼도 하기로 했어요. 난 반지를 끼고 신부가 되었어요. 눈썹도 밀고, 웨딩드레스도 입고 결혼식장에 서 있게 되었죠. 그때 나는 더 이상 내가 아니었어요. 그러면서도 나는 그와 결혼하려 했어요. 나는 그렇게 오랫동안 나를 잃었었고, 이제 비로소 내가 다시 내가 되었다고 생각해요.

당신을 버크보다 더 사랑해요. 그래서 겁나요. 왜냐면 당신이 오늘 내 상사의 호출을 무시하라고 했을 때, 당신도 나의 일부를 뺏어 갔거든요. 난 당신이 그러도록 내버려 뒀고요. 그런 일은 다시는 없어야 해요."

누군가를 사랑해 본 사람이라면 크리스티나의 마음을 이해할 것이다. 우리는 사랑하는 사람을 만나면 상대에게 맞추고 싶고 그가 원하는 걸 들어주고 싶어진다. 그게 원래의 내 모습과 완전히 다른 사람이 되는 방식일지라도. 문제는 그런 변화들이 내가 나로 존재하지 못하게 하고 나를 결국 무너지게 한다는 점이다. 나의 의지와 나의 가치관이 상대방의 그것으로 바뀌어 가는 것은 크리스티나의 말처럼 내게서 뭔가를 빼앗아 가는 일이다. 그것은 상대에 대한 의존을 넘어 나를 지우는 것이 되어 버린다.

Z는 나의 자유로운 면이나 자신과 다른 분야에서 일하는 나의 모습을 처음에는 좋아했다. 그러나 그는 조금씩 그런 나의 모습을 걱정했던 거 같다. 그의 조언은 대체로 내가 좀 더 행복했으면 하는 가벼운 걱정에서 시작되었다. 술을 줄였으면 한다든가 내가 회사를 무작정 그만두고 글을 쓰는 대신 안정적인 직장에 다니며 글을 쓰는 취미를 가진 사람이 되었으면 한다든가. 그런 걱정은 나의 미래에 대한 가까운 사람의 조언이었으므로 받아들일만한 것들이었고 나는 대부분 그의 말에 수긍했다. 어떨 땐 고마워하기도 했다.

하지만 그런 나를 위한 사소한 걱정은 점차 내가 Z에게 속한 사람이길 바라는 요구로 변질되었다. 어느 날 나는 타투를 하고 싶었다. 나는 Z가 그런 것들을 꺼리는 걸 알고 있었다. 그럼에도 나는 내 몸에 뭔가를 새기는 일이 누군가와 상의해야 할 일이라고 생각하지 않았고, 그에게 타투를 새기겠다는 말을 했을 때 그가 강력하게 반대하는 모습에 당황했다. 당시 Z의 반응은 나를 위한 걱정과 조언이라기보다 그의 마음에 들지 않아 그저 불분명한 이유들을 나열하는 걸로 밖에 들리지 않았다. '나중에 후회할 거야', '보기 좀 그래' 같은. 그가 내세우는 이유들은 그가 아닌 내가 고민하고 결정할 몫이었고 그냥 타투를 한 나의 모습을 원하지 않는다는 게 뻔히 보였다. 우리는 그때 3년을 만난 연인이었고, 타투를 한다고 해서 내가 갑자기 다른 사람이 되는 것도 아닐뿐더러 그게 나 자신이나 다른 누군가에게 피해를 주는 게 아니라면 Z는 그것을 반대해서는 안 되었다. 그러나 결국 나는 그의 반대를 받아들였고 그와 사귀는 동안 타투를 새기지 않았다. 그가 원하지 않는 일이었으니까. 바로 그때 Z가 나의 어떤 부분을 빼앗아갔다.

그 당시에는 내가 Z로 인해 뭔가를 잃게 되었다는 의식을 하지 못했다. 그러나 결혼 생각이 없던 내가 그와 미래를 함께 하기 위해 결혼에 대해 이야기할 무렵, 문득 정신을 차려 보니 나는 그에게 속한 사람으로 바뀌어 있었다. 나는 내가 원하는 곳 대신 Z가 원하는 지역으로 신혼집을 고민하고 있었고, 아이를 낳을 생각이 없었던 내 의지와 다르게 어느새 우리의 자녀 계획은 '결혼하고 3년쯤 뒤에, 두 명'으로 결정되고 있었다. Z는 아이를 원하지 않는 나를 위해 신혼을 3년간 오래오래 즐기자고 말했지만 그렇다고 해서 아이를 키우는 것에 대한 부담이 사라지는 것은 아니었다. 출산에 있어서 선택지는 단 두 가지다. 아이를 낳느냐, 낳지 않느냐. 우리는 결국 Z가 원하는 방향대로 아이를 키우는 쪽을 선택했다.

그때부터 슬슬 자각하기 시작했다. 나의 어딘가가 지워지고 있다는 사실을. 나는 자꾸만 선택의 상황이 닥칠 때 Z가 선택할 법한 것들을 고르기 시작했다. 그래야 그가 좋아할 테니까. 그러나 그건 동시에 내가 원하지 않는 걸 선택한다는 의미이기도 했다. Z도 몰랐을 것이다. 자신이 나를 얼마나 바꿔 놓았는지. 내가 얼마나 많은 것을 Z 때문에 포기했었는지. 그는 이제야 비로소 우리가 닮아 가는 것 같다며 행복해했지만 내 머릿속을 맴돌던 단어는 '체념'이었다. 그걸 알아차리면서부터는 우리 연애의 썩은 부분들이 모래성처럼 무너지기 시작했다.

Z를 사랑하는 내 마음의 크기와 그가 나로부터 빼앗아 가는 것들의 양은 비례했다. 그게 우리 연애에서 가장 슬프고 건강하지 않은 부분이었다. 그가 사랑했던 나의 면면들이 어느새 고쳐야 할 단점이 되어 있는 것은 괴로운 일이었다. 헤어진 후 우리가 다시 만났던 날, Z는 그 당시에 대해 후회한다고 말했다. 그는 자신과 너무 다른 나의 모습이 곧 불안함으로 이어졌다고 했다. 그와 다른 내가 그를 떠나 버릴까 봐. 자기가 바꾸려고 했던 나의 모습이 자신이 가장 사랑했던 모습들이었다는 걸 뒤늦게 깨달았다고 했다. 그리고 그가 그걸 깨달았을 때 나는 이미 너무 지쳐 보였고 우리가 곧 헤어지게 되리란 걸 직감했다고 했다.

슬펐다. 내가 Z를 사랑했던 이유는 그가 나와 아주 다른 사람이었기 때문이다. Z도 처음엔 그랬을 거다. 그런데 나중에는 내가 그와 같아져야만 떠나지 않을 거라고 생각하게 된 것이다. 나를 지치게 했던 것들이 Z가 나를 사랑하는 방식이었다는 건 마음이 아픈 일이었다. 나는 Z와의 연애가 끝난 후 내가 나로 존재할 수 있는 만남을 해 보고 싶었다. 다양한 사람들을 만났고 그들은 다양한 선택지를 내 앞에 펼쳐 보였다. 나는 그때마다 최대한 내가 할 수 있는 가장 나다운 방식으로 그들을 만났다. 어떤 사람은 내게 기대하는 이미지나 성격이 있었다. 그러나 나의 어느 부분에 그 모습이 있을지언정 그게 나의 전부는 아니다. 나는 나에 대한 단편적인 해석과 편견들이 결국 언젠가 특정한 모습으로 나에게 강요된다는 것을 알게 되었다. 그럴 때 나는 그들에게서 내 모습을 잃지 않으려고 했고 그런 나를 존중하지 않는 사람들은 떠나보냈다. 분명 보편적인 방식의 연애는 아니다. 대부분의 사람들은 서로의 공통점이나 상대방의 희생 같은 걸로 마음을 확인하곤 한다. 그게 가장 빠르고 직관적인 방법이니까. 그러나 나는 Z와의 연애에서 잃었던 것들이 내가 나로 존재하려 할 때 얼마나 소중했던 건지 이제는 안다. 나를 잃지 않을 수 있는 관계가 어딘가에 있다면 꼭 찾고 싶다.

090 5년 사귄 남자친구와 헤어지고

그 여행에 두고 온 것

어느덧 내가 Z와 헤어진 지 3년이 지나가고 있었다. 4월이었다. 나는 Z와 여러 해 전에 떠났던 경주 여행을 떠올렸다. 우리는 겨울에 경주 여행을 떠났었다. 경주 초입에 들어설 때쯤, 길에는 많은 눈이 내리고 있었다. 남쪽 지방에 이렇게 많은 눈이라니. 라디오에서는 연신 몇십 년 만의 폭설이 경상도 지방을 뒤덮었다는 뉴스가 흘러나오고 있었다. 나와 Z는 라디오에서 나오는 뉴스를 들으며, 우리 이번 여행 망했다는 우스갯소리를 하면서 경주에 진입하던 참이었다.

그때 도로에서 우리 차가 미끄러졌다. 모든 게 슬로모션처럼 느껴졌다. 어느새 내 눈앞으로 가로수가 보였다. 느리게 달리고 있었지만 한 번 미끄러진 차는 그대로 가로수에 들이받았다. 둘 다 다친 곳은 없어 큰 사고는 아니었지만, 우리는 여행을 시작하자마자 남은 3일을 그대로 사고 처리에 쏟아야 했다. 여행이 진짜로 망해 버린 것이다.

나도 나지만 Z는 그때 사고 처리를 하느라 정신이 없었고, 3일 후 돌아오는 기차에서 둘 다 말로 할 수 없는 피로를 느꼈다. 우리는 돌아오는 길에 다음 경주 여행을 기약했다. 다음에 꼭 다시 경주에 같이 오자. 그때는 이번에 못 한 것들 다 하자. 그러나 우리는 다시 경주에 가지 못한 채 헤어지게 되었다.

얼마 전, 바람에 달려 무더기로 떨어지는 벚꽃을 보며 나는 눈에 덮인 그때의 경주를 떠올렸다. 떨어지는 벚꽃이 겨울에 내리는 눈보다 더 눈 같았다. 마침 일이 한가해지는 시즌이었고 나는 혼자 경주를 여행해야겠다고 마음먹었다. 원래는 Z와 다시 떠나기로 했던 여행이었지만. 사실 지난 3년간 다시 경주에 갈 기회가 몇 번 있었지만 나는 한 번도 가지 않았다. 경주가 아닌 다른 좋은 여행지에 대한 기억도 많은데, 왜 나는 유독 그때의 그 실패한 여행이 마음에 걸려 경주에 가지 못했던 걸까?

아무튼 나는 거의 즉흥에 가깝게 바로 경주로 출발했다. 경주로 떠나는 길, 경주에 도착해서 걷는 길, 서울보다 따뜻해서 벌써 지기 시작한 벚꽃길, 동글동글한 왕릉 앞 공원… 경주의 모든 길에서 나는 Z를 떠올렸다. 나는 이 길 중 어느 길을 그와 걸었을까 떠올려 보려고 애썼지만 하나도 떠오르는 기억이 없었다. 모두 처음 보는 풍경이었다. 그도 그럴 것이 나와 Z의 경주 여행은 망한 여행이었으니까. 경주는 처음 가는 곳이나 마찬가지였다.

최근 몇 달간, 나는 종종 Z에게 전화를 걸어 보고 싶었다. 술에 취하면 그에게 안부를 묻지 않기 위해 간신히 정신을 붙들어야 했다. 그와 다시 만나고 싶은 거냐고? 아니. 나는 이제야 Z에게 전화를 걸 용기가 생겼던 것뿐이다. 지난 3년 동안은 그에게 전화를 걸면 안 될 것만 같았다. 그의 목소리를 들으면 모든 게 다시 살아날 것 같았고 내가 참아온 것이 모두 허사가 될 것 같았다. Z와 절대 다시 만나고 싶지 않았기 때문에 걸지 못한 전화였다.

게다가 나는 나보다도 Z가 더 걱정됐다. 나는 종종 친구들 앞에서 울거나 술을 마시거나 욕을 했지만 Z는 그렇게 할 사람이 아니었다. 그는 아마 혼자서 이별 후의 시간을 보냈을 것이다. 그가 혼자 보내는 시간 동안 그를 힘들게 하지 않기 위해 내가 할 수 있는 것은 그에게 연락하지 않는 것뿐이었다. 3년간 나는 조용히 Z의 마음이 정리되길 기다리면서 내 마음도 정리하고 있었다.

그러나 경주에서 나는 돌이켜 보았다. 내가 이렇게 오랜 시간 Z를 떠올리면서도 그와 다시 만나고 싶지는 않다고 생각하듯, 아마 Z도 그렇지 않을까. 나는 이제 Z가 걱정되기보다는 그가 얼마나 잘 지내는지(분명 지금쯤은 잘 지낼 거라는 확신과 함께), 나와 헤어질 때쯤 입사했던 회사는 잘 다니는지, 그의 형은 이듬해에 진짜 결혼을 했는지 궁금했다. 나는 여행에서 온종일 Z를 생각하며 경주 시내를 돌아다녔고, 그날 밤 숙소에서 그에게 전화를 걸었다. 3년 전에 삭제했지만 한 번도 잊어버리지 못한 번호로.

내가 지난 3년간 만나왔던 남자들이 어떤 의미였는지 선명해졌다. 아마 이 책을 읽은 사람들은 대부분 눈치챘을 것이다. 틴더에서의 만남들이 Z에 대한 나의 마음을 정리하는 데 도움을 주었다는 뻔한 결말. 나는 Z를 잊기 위해 틴더를 시작했고, 덕분에 Z에 대한 마음을 한 번씩 더 들여다보며 정리할 수 있었다. 그러나 한순간도 익숙해지지 않는 사실이 있다. 내가 그를 더 이상 사랑하지 않을 수는 있지만, 영원히 Z를 위해 마음 한구석을 내어 줄 거라는 사실.

휴대폰 너머로 신호음이 들렸다.

나는 세차게 뛰던 심장이 점점 진정되는 걸 느꼈다.

이상하게도 Z의 목소리를 기다리며 마음이 편안해졌다. 나는 나의 오랜 친구에게 내가 잘 지내고 있다는 소식을 전하기 위해 전화를 거는 중이었다.

"여보세요."

그가 전화를 받았다.

얕고 넓은 바다를 즐기는 법

나는 여러 번의 연애를 틴더를 통해 시작했다. 분명 틴더에는 매력적인 사람들이 많다. 그들은 틴더에 대한 흔한 오해를 불식시켜 주었다. 적어도 내 주변에 있는 사람만큼만 위험하거나 이상했다. 안심해도 괜찮다. 그러나 이 책을 읽고 누군가 틴더를 해 보고 싶은 마음이 든다면 몇 가지 조언을 하고 싶다.

세상에는 다양한 바닷가가 있다. 바다마다 수심도, 해변의 크기도 다르다. 어떤 바다는 얕다. 상상해 보자. 무턱대고 철퍽 앉아도 배꼽 위로는 물이 차오르지 않는 바다. 눈앞으로는 한없이 넓은 수평선이 펼쳐져 있을 것이다. 그런 바다가 있는 해변에 가면 우리는 한번쯤 가벼운 마음으로 발을 담가 본다. 곳에 따라 수심이 깊은 부분이 있을 수도 있지만, 그 바다에 깊은 곳이 조금 있다고 해서 우리가 그 바다를 '깊은 바다'라고 부르지는 않는다. 여전히 그 바다는 '얕은 바다'라고 불릴 것이다. 틴더는 그런 곳이다. 당신이 틴더라는 바다에 발을 담그고자 한다면 너무 많은 걸 기대하지는 않길 바란다.

그 바다에서는 바나나보트도, 유람선도 탈 수 없다. 어떤 배를 끌고 간들 모래에 배가 처박혀 버릴 것이다. 그곳에서 당신이 가장 하기 좋은 것은 그저 발장구를 몇 번 쳐보는 것. 그 바다에 발을 담그고 쉬는 것. 만약 거기서 깊은 바다를 만나 당신이 배를 띄울 수 있게 된다면 그건 틴더라는 세계가 깊어서가 아니다. 당신이 운이 좋아 그 해변을 걷다가 깊은 부분을 마주쳤을 뿐이다. 이 책에 담지 않은 많은 사연들이 있다. 그중에는 즐거운 기억도 있지만 불쾌했던 기억도 상당하다. 당신이 틴더를 시작하려 한다면 불쾌한 사건에 휘말릴 수도 있다는 위험 부담 정도는 인지하고 시작하는 게 좋다. 생판 모르는 사람을 만나 교감을 하는 게 마냥 유쾌하기만 한 일은 아니니까.

그럼에도 불구하고 내가 틴더를 '즐거웠다'고 기억하는 이유가 있다. 3년 전의 나는 좀 더 다양한 사람을 만나 볼 필요가 있었고 틴더가 그 필요를 채워 주었기 때문이다. 나는 그들과의 만남 사이사이에 Z와의 연애를 복기했고, Z에 대한 어떤 결정은 맞았지만 어떤 결정은 틀렸다는 걸 알게 되었다.

그렇다고 틴더에서 만났던 남자들이 모두 나의 전 연애를 위해 소모된 인물이었느냐고 묻는다면 그건 결코 아니다. 나는 그들과 다양하고 새로운 연애를 했다. 그리고 그들과의 연애에서도 Z에 대한 복기처럼 조금씩 테이프를 되감아야 했던 순간들이 있다. 어떤 남자가 나에게 결혼관에 대해 물을 때 나는 새삼 나의 결혼관과 그와의 연애를 어떻게 연결할 것인가 고민했고, 그 고민은 다음 연애에 반영되었다. 또 어떤 남자가 나를 두고 이틀간 연락이 끊겼을 때, 나는 결정해야 했다. 그 사람의 힘든 상황을 이해할 것인가, 아니면 나를 보호하기 위해 그를 끊어낼 것인가. 그리고 그에 대한 결정은 다음 연애에 분명 영향을 끼쳤다. 마치 이어달리기처럼 전 연애가 다음 연애에 바통을 건네주고 있는 모양새였다. 다만 그 바통을 가장 처음 넘겨준 사람이 Z였기 때문에 그 무거운 바통을 건넨 그를 가장 오랫동안 생각하게 되는 것 같다.

나는 틴더라는 바다에서 다양한 성향의 사람들을 만나 보았고 그들과의 관계에서 다양한 감정을 느끼며 열심히 발장구를 치다가 나왔다. 그 얕고 투명하고 넓은 바다는 그때 충분히 즐거웠고, 나는 당분간 연애를 쉬어 볼 생각이다. 뒤늦은 혼자만의 시간을 위하여.

내 친구들의 틴더

당신이 틴더를 사용하지 않는다고 해서 다른 사람들도 틴더를 하지 않는 건 아니다. 세계 1위 데이트 앱인 만큼 생각보다 많은 사람들이 틴더를 사용하고 있다. 특히 요즘 같은 팬데믹 시대에는 더더욱. 내 주변에서는 나뿐만 아니라 내 친구들도 틴더를 사용한다. 내가 인터뷰했던 세 명의 친구들은 모두 각자 다른 이유로 틴더를 시작했다. 그 친구들의 이야기를 해 보려 한다.

JJ

JJ는 이제 소개팅 대신 앱을 사용한다. 이 친구는 틴더뿐 아니라 다른 앱도 사용한다. 나는 JJ에게 왜 앱으로 사람을 만나는지 물었다.

Q JJ는 왜 소개팅 안 하고 앱으로 만나?

A 쉬워.

Q 쉽다는 건?

A 너 간편결제 쓰지? 카카오페이나 네이버페이 같은. 나는 간편결제가 생기기 전의 삶은 다시 떠올리기만

해도 귀찮거든. 틴더도 그런 느낌이야. '언제 어디서든 쉽고 간편하게 소개받으세요!' 뭐 이런 느낌(웃음). 그냥 심심할 때, 연애하고 싶을 때 켜면 어디든 상대가 있잖아, 방법도 쉽고, 거절도 쉬워. 답장 안 하면 그만이니까.

Q 질리지는 않아?

A 그래도 또 하게 되더라. '어우 질려'라고 하면서 그만뒀다가도 또 궁금해서 켜 보면 즉각적으로 상대의 얼굴이 뜨잖아. 약간 중독 같기도 해. 굳이 안 할 이유가 없거든. 아무튼 빠르고 쉬워서 좋아.

Q 소개팅과 가장 다른 점은 뭐야?

A 소개팅은 보통 주선자가 있기 마련이잖아. 중간에 주선자가 있는 경우 거절하고 싶어도 거절하지 못하고, 상대랑 틀어지면 주선자랑 어색해지기도 하고. 주선자가 있어서 불편한 게 여러모로 있어.

Q 틴더엔 주선자가 없으니까 검증되지 않은 사람들이 많이 나오지 않아?

A 주선자가 있다고 해서 그 사람이 안전한 건 아니더라. 주선자가 친구라고 해서 그 사람을 다 아는 게 아니니까. 앱은 오히려 소개받는 것보다 눈치 안 보고 더 편하게 알아볼 수 있잖아.

Q JJ가 틴더로 사람들을 만나본 소회는?

A 여러 앱을 해 봤지만 틴더만큼 다양한 사람이 모인 곳은 없었어. 재밌긴 해. 그렇지만 다양한 만큼 이상한 사람이 많은 것도 사실이지. 좋은 연애를 하고 싶

다면, 신중하게 알아보고 사람을 만나길.

JJ는 틴더를 마치 '술과 숙취' 같다고 표현했다. 분명 귀찮은 일이 생길 걸 알면서도 앱을 켜고 있는 모습이, 숙취에 시달릴 걸 알면서도 술을 마시는 것 같다는 거다. 맞다. 틴더는 너무 간단하고, 즉각적이다. 왼쪽으로 스와이프, 오른쪽으로 스와이프. 집에서도, 버스에서도, 화장실에 간 잠깐의 순간에도 할 수 있는 쉬운 소개팅.

KG

JJ처럼 쉽고 빠른 선택을 위해 앱을 사용하는 경우도 있지만 동성애자인 친구 KG의 경우는 또 다르다. 앞에서 말했다시피 틴더에서는 내가 매칭하고 싶은 상대를 이성으로 고를 수도 있지만 동성이나 혹은 양성 모두 선택할 수 있다. 퀴어 사용자들도 고려하는 앱인 셈이다. 나는 그 사실을 알았을 때 KG에게 틴더를 알려 주었고, 그는 곧 어플을 설치해 사용했다.

Q 퀴어로서, 데이팅 앱은 어떤 의미야?

A 우리는 온라인으로 사람을 만나는 게 좀 보편적이야. 밖에서 마주치는 사람들이 나와 같은 동성애자일 확률이 매우 낮은 편이니까. 자만추('자연스러운 만남을 추구하다'의 줄임말)가 좋다고들 하지만, 글쎄. 우리는 자연스러운 만남으로 누구를 만나기가 참 힘들더

라고. 그런 점에서 나한테 앱은 익숙한 방식이야.

Q 원래 앱으로 사람을 종종 만나?

A 응. 우리는 좀 익숙해. 나는 회사를 다니면서 또 다른 퀴어를 만나기 힘들다 보니 퀴어들이 모여 있는 풀에서 누굴 찾는 게 더 안전하다고 느껴져. 내가 아웃팅 당할 염려도 적고.

Q KG는 틴더 어땠어?

A 내가 느낀 건, 유명한 앱인 만큼 틴더에 퀴어 사용자가 생각보다 많다는 거. 그리고 이성애자들 사이에서는 틴더가 파트너를 찾는 앱으로 인식되어 있다면, 오히려 퀴어 사용자인 나에게는 틴더가 연애를 위한 앱처럼 느껴졌어. 내 주변 퀴어들은 대부분 연애하려고 틴더를 하더라고.

Q 어떤 사람을 만났어?

A 지금 연애하고 있는 사람이 틴더에서 만난 사람이야. 나 지금 이 친구 3년째 만나고 있잖아. 나한텐 좋은 사람을 만나게 해 준 은인 같은 앱이지.

내가 KG에게 틴더를 해 보라고 했을 때만 해도 KG가 틴더에서 만난 사람과 이렇게 오래 사귀게 될 거라고는 생각 못 했다. KG는 지금껏 만났던 사람 중 가장 괜찮은 사람을 틴더에서 찾은 듯하다.

EB

나와 비슷한 이유로 틴더를 사용했던 친구가 한 명 더 있다. EB라는 친구. EB는 틴더를 하기 전에 오랜 연애를 끝낸 후 연애를 쉰 지 1년이 넘어가는 중이었다.

Q 틴더는 왜 시작하게 되었어?

A 연애는 귀찮고, 그리고 사실 심심했어(웃음). 근데 내가 갑자기 누굴 만나야겠다고 결심한다고 해서 그게 쉬운 건 아니잖아.

Q EB는 어떤 방식으로 틴더를 했어?

A 그때쯤 나는 진지하고 무거운 관계에 지쳐 있었어. 가볍게 누군가를 만나 보고 싶었고. 그래서 틴더를 시작했을 때 진지한 관계를 원하는 것처럼 보이는 프로필은 Like 안 했어. 가볍게 나와 술 한잔할 친구를 찾고 싶었어. 그러다가 하룻밤을 같이 보내는 것도 좋고.

Q 틴더 하면서 가장 이상했거나, 기억에 남는 상대는?

A 틴더로 한 번 만났는데, 나한테 뭐든 헌신할 것 같은 사람을 만난 적이 있었어. 그게 부담스러워서 연락을 끊었는데, 그 다음 날 카카오톡 프로필 사진도 슬픈 그림, BGM도 이별 음악(웃음). 아쉽고 서운하다는 식의 메시지가 계속 왔는데 나는 그냥 신기했지. 나에 대해 뭘 안다고 이렇게 슬퍼하고 힘들어할까? 우리는 한 번밖에 안 만났는데. 그런 사람을 보면서 어떤 사람은 그저 연애하는 자신의 감정이 즐거워서 틴더를

하는 게 아닐까라는 생각이 들었어. 아무튼 부담스럽고 신기한 사람이었어.

Q EB가 틴더를 해 보고 나니 어떤 것 같아?

A 나는 해 보길 잘한 것 같아. 그때의 나는 연애 경험도 적고, 사람이 뭔지, 관계가 뭔지 잘 몰랐는데, 틴더 덕에 마치 속독하듯, 벼락치기 하듯 여러 사람들을 만나 볼 수 있었거든. 머릿속에 인간관계에 대한 데이터가 확 늘었다고 해야 하나? 그리고 사람들을 많이 만나면서 나의 새로운 모습도 보게 되었거든. 그런 나를 관찰하는 것도 즐거웠어. 이후로는 내가 연애 상대를 찾을 때, 좀 더 뚜렷한 안목을 가지고 만날 수 있게 되었지.

Q 만약 EB의 친구가 틴더를 하겠다고 하면 추천할 거야?

A 친구의 성격에 따라 다를 것 같아. 상처를 잘 받거나, 사람의 말에 잘 흔들리는 친구라면 비추. 내가 처음에 좀 그랬거든. 감정 소모가 심했어. 그런데 만약 감정 기복이 적고 회복력이 좋은 친구라면 한 번쯤 해 봐도 좋을 것 같다고 생각해. 다만 누구든 틴더를 하고 싶다면, 쉽고 가볍게 찾아오는 즐거움에 대한 대가가 있다는 건 명심하고 시작했으면 좋겠어.

EB는 틴더 속 남자들을 큰 기대 없이 만나면서 가볍게 즐겼다고 한다. 덕분에 오랜 연애 후로 지쳐 있던 마음에 환기가 되었다고.

5년 사귄 남자친구와 헤어지고 틴더를 시작했다

초판 1쇄 발행 | 2021년 9월 15일

지은이 문태리 | **펴낸이** 이민섭 | **편집장** 강제능 | **담당편집** 장주희
디자인 김수현 | **그림** 강소리 | **마케팅** 안지연 | **펴낸곳** 텍스트칼로리
발행처 뭉클스토리 | **출판등록** 2017년 4월 14일 제 2017-000022호
주소 서울특별시 영등포구 선유로27, 1212호 | **전화** 02-2039-6530
이메일 mooncle@moonclestory.com | **홈페이지** www.moonclestory.com

텍스트칼로리는 여러분의 소중한 원고를 기다리고 있습니다.

Published by Moonclestory.Co.Ltd. Printed in Korea.

텍스트칼로리는 뭉클스토리의 임프린트 브랜드입니다.

ISBN 979-11-88969-37-1(03800)